MW00837418

HIPNOSIS PASO A PASO

Dr. Jean-Paul Guyonnaud

HIPNOSIS PASO A PASO

Tikal Ediciones
Plaza Romà Piera Arcal, 4, 3.º A
E-08330 Premià de Mar (Barcelona)
Tel.: 937 521 314
Fax: 937 523 141
ediciones.susaeta@nexo.es

Traducción: Vilma Pruzzo
Diseño de cubierta: Paniagua & Calleja
Impreso en la UE

ÍNDICE

PREFACIO

¿QUÉ ES VERDADERAMENTE LA HIPNOSIS?

— ...Y ahora, caballero, va usted a bailar... de puntillas, como las bailarinas de ballet... Bueno, vamos a empezar, deslícese ligeramente, siéntase ligero como una pluma...

Un cincuentón de obesidad poco común esboza algunos pasos de baile, sin reparar en la hilaridad de los espectadores, mientras el «mago» se vuelve hacia el resto de las personas que han subido voluntariamente al escenario:

— Usted está en la orilla del mar, señorita, y siente enormes deseos de bañarse... Quítese los zapatos y métase en el agua... Las olas acarician sus tobillos, sus pantorrillas y muy pronto llegarán a sus rodillas... Levántese un poco la falda para que no se moje... Así, avance y levante la falda un poco más...

Mito y realidad

Los espectáculos hipnóticos que divierten al público en un cabaret o en las ferias pueden inducir a pensar que la hipnosis se incluye dentro del campo de la prestidigitación o de la magia.

Por otra parte, la imagen de la hipnosis se ve frencuentemente falseada por las novelas o las películas. Los estereotipos procedentes de estos dos medios abundan: espías u oficiales de alta graduación que, al ser hipnotizados, revelan secretos militares, esposas fieles que se dejan seducir, hombres o mujeres de moralidad irreprochable que se transforman en asesinos, etc...

La realidad es totalmente distinta. Es necesario aclarar que ningún hipnotizador, ni siquiera el mejor, es capaz de triunfar completamente sobre la voluntad de un ser humano, ya que *la hipnosis exige el consentimiento, tanto consciente como inconsciente, del sujeto que va a ser hipnotizado.*

Por tanto es imposible emplear la hipnosis para conseguir que una persona realice actos que contradigan sus convicciones éticas, o incluso su línea de conducta habitual. Esta afirmación ha sido suficientemente comprobada, y entre otras cosas justifica por qué no pesa sobre el hipnotismo ninguna prohibición legal.

Misterio

Aunque es cierto que la hipnosis no guarda ninguna relación con las actividades de los ilusionistas ni con la magia, también es verdad que todavía hoy en día se presenta, con justa razón, rodeada de una aureola de misterio.

Todos sabemos cómo proceder para provocar el estado hipnótico, pero seguimos ignorando cuál es la naturaleza exacta de la hipnosis y, para describirla, nos conformamos con definiciones relativamente vagas, como la siguiente: *sueño incompleto de tipo especial, provocado artificialmente, con aumento de la sugestión del individuo.*

Es necesario aclarar un aspecto de esta definición, el que se refiere al «sueño incompleto»; la persona hipnotizada no duerme verdaderamente, aunque parezca que lo hace, sobre todo si se ha empleado un método que requiere cerrar los ojos, lo que no siempre sucede. Permanece estrechamente ligada al mundo exterior y su estado no le impide oír la voz del hipnotizador ni registrar debidamente todo lo que él le dice. Estamos, pues, ante un estado particular que se sitúa entre el sueño y la vigilia. Sea cual sea ese estado, los datos que se han obtenido por medio de electroencefalogramas practicados a personas hipnotizadas difieren sensiblemente de los que se obtuvieron estando los mismos sujetos en estado de sueño normal, especialmente en lo que se refiere al ritmo alfa.

Efectos típicos

El fenómeno hipnótico se desencadena de una manera tan rápida y espontánea que, en la mayoría de los casos, la persona no llega a darse cuenta de lo que está ocurriendo. Su atención se centra en las palabras del hipnotizador, que le van hundiendo poco a poco en lo que se conoce como sueño hipnótico.

Las personas más sensibles son las que más fácilmente se someten a las intrucciones, mientras que en otros casos el hipnotizador puede encontrar una resistencia mayor, y debe por tanto insistir un poco más.

Sin embargo, *aunque todo el mundo es hipnotizable, la experiencia resultará un completo fracaso si la persona a quien se va a hipnotizar se resiste* con todas sus fuerzas.

La ciencia desconoce todavía qué lleva a un individuo a obedecer las sugestiones del hipnotizador. Al principio, esas sugestiones aluden exclusivamente a sensaciones o ideas que contribuyen a provocar la hipnosis; más adelante su objetivo es persuasor: inducir a pensar o a actuar de una manera determinada. Veamos algunos ejemplos de sugestiones persuasivas; el hipnotizador puede decir: «usted olvida todas sus preocupaciones y se deja invadir por una sensación de serenidad»; o, «Usted toma la decisión de no fumar más y aunque la tentación de encender un cigarrillo es muy grande, no cambia de opinión»; o también «Para combatir la pereza, todas las mañanas, día tras día y durante diez minutos por lo menos, usted hará gimnasia», etc.

Se ha comprobado, y éste es el principal efecto práctico de la hipnosis, que las sugestiones hipnóticas son por lo general mucho más eficaces que los consejos, advertencias, o cualquier otro tipo de sugerencia que se reciba estando despiertos. De allí el interés que la medicina tiene por esta técnica, especialmente en los siguientes campos:

— tratamiento de los trastornos psicosomáticos, sobre todo los que se producen en dermatología, gastroenterología, pediatría o sexología; prevención y tratamiento del asma y la hipertensión arterial; tratamiento de problemas de timidez y de inhibición, etc.

— tratamiento de la bulimia y desintoxicación de alcohol, tabaco y drogas.

— tratamiento del dolor en cirugía dental, en cirugía estética y, por regla general, en las intervenciones quirúrgicas menores; disminución del dolor en quemaduras y casos de cáncer, así como en ciertos traumatismos craneanos, sin olvidar sus aplicaciones en obstetricia, especialmente en los partos llamados indoloros.

— tratamiento de ciertos trastornos psíquicos: amnesia, histeria, fobia, neurosis de angustia, depresión neurótica, neurosis obsesiva, etc.

De hecho, ya se trate de contribuir a la curación de una enfermedad o de disminuir, a veces hasta eliminar completamente, las sensaciones dolorosas, la hipnosis tiene un campo de acción que todavía no ha acabado de ser explorado. Pero, hasta ahora, todas las eminencias médicas que la han estudiado y aplicado son unánimes en un punto: *la hipnosis médica no presenta contraindicaciones, salvo en el caso de las psicosis.*

Conexión

La hipnosis se relaciona muy estrechamente con el *magnetismo.* Es muy frecuente que se confundan, y si esto sucede es porque, en muchos casos, consciente o inconscientemente, se practican de forma simultánea. Por tanto, no resulta exagerado sostener que la hipnosis comporta cierto grado de magnetismo; de hecho, en numerosas técnicas hipnóticas el hipnotizador aplica su propio magnetismo.

La diferencia fundamental entre los dos procedimientos es la siguiente:

— el hipnotizador emplea todos los medios posibles para producir la fatiga de los sentidos (vista, oído, tacto), y apoyarse entonces únicamente en la palabra; la palabra se convierte así en vehículo primordial de toda técnica hipnótica, de lo que resulta una cierta conexión entre hipnotismo y psicoanálisis.

— el magnetizador transmite energía vital; al igual que un donante de sangre, transfiere a la persona magnetizada una parte de su fluido magnético con el fin de remediar un desequilibrio que se manifiesta en su organismo. Puede realizar su trabajo sin pronunciar una sola palabra.

El hipnotismo se relaciona también con la *sofrología,* que se manifiesta sobre todo en el campo de la relajación. Sin embargo, las características fundamentales de las dos disciplinas son diametralmente opuestas: la sofrología requiere la *participación activa* del individuo, mientras que en el hipnotismo el sujeto puede permanecer *pasivo.*

Omnipresencia

A continuación ejemplificamos algunas de las situaciones de nuestra experiencia diaria en las que más claramente se manifiesta la influencia de cierta forma de hipnosis, aunque no acabemos de apreciar su existencia.

— Cuando una madre consuela a su hijo: «no llores más, cariño, se terminó, ya no tienes pupa».

— Cuando se reprende a los niños: «miradme a los ojos y decidme la verdad».
— Cuando un enamorado suplica: «descubre en mi mirada cuánto te amo y quiéreme tú también».
— Cuando un jefe trata de animar a sus empleados: «van a poder terminar el trabajo en muy poco tiempo».
Ejemplos similares nos lo confirman: aunque no la reconozcamos, la hipnosis es omnipresente en nuestra vida.

Los padres, los pedagogos, los enamorados, los empresarios, todos tratan de ejercer influencia mediante métodos involuntariamente hipnóticos. Hoy en día, más que nunca, el individuo se ve sometido a una presión exterior muy perjudicial que parte de los medios de comunicación, y lo verdaderamente grave es que los procedimientos en que se basan, de eficacia indiscutible, se inspiran en las leyes de la hipnosis. Afortunadamente, esa presión se puede combatir con éxito mediante la autohipnosis*.

Antes de terminar con estos apuntes generales sobre la hipnosis, hay que mencionar que esta disciplina, que fue introducida como terapia en la medicina moderna en el siglo XIX, ya era practicada por los antiguos egipcios con fines curativos.

Pero ha llegado ya el momento de abordar nuestro curso acelerado.

*Ver «*Métodos fáciles de autohipnosis*».

LECCIÓN 1

CÓMO LLEGAR A SER HIPNOTIZADOR Y LAS VENTAJAS QUE ESO SUPONE

De la misma manera que todo el mundo puede ser hipnotizado, más o menos profundamente, y siempre que no exista ninguna resistencia, todo el mundo puede también aprender las técnicas hipnóticas, teniendo siempre muy en cuenta que su aplicación en la medicina sigue siendo privilegio de aquellos que poseen una formación apropiada.

Aclarado esto, es preciso señalar que el éxito de una experiencia hipnótica no depende únicamente de la aplicación concienzuda de las reglas propias de las técnicas empleadas. Los factores ligados a la personalidad, a las aptitudes profundas, a la competencia de la persona que quiere hipnotizar, también desempeñan un papel importante.

El hipnotizador debe reunir una serie de características:

— ser una persona equilibrada y estar en plena forma física y psíquica;
— estar dispuesto a utilizar la hipnosis en el momento oportuno;
— dar muestra de una seguridad inquebrantable;
— estar dotado para ejercer una fascinación irresistible;
— tener un discernimiento claro;
— poseer una gran capacidad de concentración;
— dominar las técnicas de la sugestión;
— estar dispuesto a ejercer su magnetismo si es necesario.

Condiciones óptimas

La práctica de la hipnosis exige una forma física excelente. La fatiga constituye un serio obstáculo, porque impide que el hipnotizador actúe con la debida eficacia. La hipnosis supone un esfuerzo mental muy importante, que conlleva un considerable consumo de energía. En cuanto al esfuerzo físico, sólo se da realmente cuando la técnica empleada requiere la intervención del magnetismo personal.

Basta el más mínimo cansancio, provocado por causas tan dispares como el insomnio, una mala digestión, un esfuerzo prolongado, o cualquier otra razón, para que cualquier intento de hipnotismo termine en fracaso, aunque se trate de hipnotizar a la más sensible de las personas.

Es indispensable, por tanto, poseer unas condiciones físicas y psíquicas inmejorables, y mantener una perfecta estabilidad mental. Todo ello se consigue si se cumple con una serie de condiciones: alimentación equilibrada, sueño regular, práctica de algún deporte, moderación en el consumo de bebidas alcohólicas y supresión del tabaco.

Actitud constructiva

La hipnosis no ofrecerá un resultado satisfactorio si se acude a ella desde el convencimiento de que se trata de un juego social o de un medio para imponer los deseos propios con fines desleales, como abusar de la confianza de alguien o despojarle de su dinero.

Con esta afirmación no se trata de apelar a los buenos sentimientos ni de entrar en consideraciones sobre leyes morales. La práctica de la hipnosis, así como la del magnetismo, posee en cierto sentido un carácter sagrado; nos encontramos en presencia de un método desarrollado con fines humanitarios, elaborado a partir de la explotación de ciertos recursos misteriosos, por no decir sobrenaturales, que la ciencia, por el momento, ha logrado analizar sólo parcialmente. Esto significa que, para poder asegurar un buen rendimiento, el hipnotizador debe prescindir de cualquier consideración materialista y cumplir con su tarea con la serenidad de espíritu de quien nada tiene que reprocharse. Cuanto más animado esté por el deseo de aliviar los sufrimientos de sus semejantes, es decir, cuanto más constructiva sea su actitud, mayor será su capacidad de hipnotizar.

El papel de la seguridad

Es indispensable que la persona que se va a hipnotizar se sienta confiada; por eso el hipnotizador debe hacer todo lo posible para inspirar tranquilidad. Su porte, su voz, sus palabras y, sobre todo, su mirada (veremos más adelante por qué), deben contribuir a demostrar una seguridad absoluta.

El menor descuido, un temblor en el tono de voz, cierta vacilación en mitad de una frase o el empleo de palabras poco precisas, un movimiento precipitado (o, por el contrario, indeciso), una mirada huidiza, etc., son factores que pueden disminuir, e incluso eliminar, las posibilidades de éxito. Es necesario que, desde el principio y durante toda la sesión, el hipnotizador haga sentir a su interlocutor que está absolutamente seguro de lo que hace; si no, por lo menos debe dar esa impresión.

La importancia de la fascinación

Las técnicas hipnóticas más clásicas se basan, en gran parte, en la fascinación que el hipnotizador ejerce por medio de su mirada y de su voz, fascinación que le ayuda a captar y a canalizar debidamente la atención de la persona sometida a hipnosis. Si el hipnotizador no consigue acaparar por completo la atención del sujeto, no se produce la hipnosis.

Para lograrlo, el hipnotizador debe ser capaz de hundir su mirada en la de la otra persona durante un cierto tiempo, sin pestañear en ningún momento.

Mirar a alguien intensa y prolongadamente no es tan fácil, especialmente si el que lo hace no está en forma o se siente fatigado; pero hay una manera de perfeccionar este aspecto, a través del siguiente ejercicio:

1) Colóquese delante de un espejo y mírese fijamente el mayor tiempo posible, cronometrando su esfuerzo.

2) Proceda de la misma manera durante unos cuantos días, intentando siempre mejorar su marca, hasta que consiga no parpadear por espacio de cinco minutos o más.

Y si sus esfuerzos resultan vanos, puede soslayar el problema ejerciendo la fascinación visual por medio de un objeto brillante. En ese caso, lo más simple es recurrir a la bola llamada hipnótica o a una piedra preciosa, aunque existen en los comercios instrumentos concebidos especialmente para reemplazar la fascinación de la mirada, ya sean péndulos específicos o el clásico estroboscopio.

La voz constituye un capítulo aparte, puesto que se trata del elemento más importante en cualquier técnica hipnótica; mientras que la fascinación visual se puede alcanzar por medio de objetos adecuados, la fascinación de la voz humana no se puede reemplazar por nada.

La voz del hipnotizador debe ser clara y debe tener un tono agradable.

Además, es muy conveniente que el hipnotizador tenga, como los actores, cierta facilidad para dominar registros y tonos completamente diferentes, que le permita fascinar a unos por su extremada dulzura, y a otros por la autoridad imperiosa de su entonación. Para ello, debe saber apreciar qué trato requiere cada persona.

Saber discernir

Aparentemente, el fenómeno estaría ligado a la infancia: la gente marcada por la influencia materna tiene tendencia a sentirse fascinada por la dulzura, mientras que un tono imperativo en la voz del hipnotizador parece afectar más a quienes han sido fuertemente impresionados por la figura paterna.

Pero no es la causa, en definitiva, lo que nos interesa. Lo que cuenta es que el hipnotizador debe ser capaz de discernir rápidamente si hay que hablar a la persona con dulzura o si el caso exige una actitud autoritaria, tanto en lo que se refiere al contenido de su mensaje como al mismo tono de voz. Y no sólo porque el éxito de la experiencia depende considerablemente de la actitud adoptada sino, sobre todo, por el bien de la persona que se somete a la hipnosis. Un error de discernimiento puede provocar consecuencias más o menos enojosas; ése es el motivo por el que se desaconseja formalmente hipnotizar a personas hipersensibles, psicológicamente muy vulnerables.

Un conocimiento amplio de psicología permite actuar con más seguridad. Si el hipnotizador conoce los antecedentes de la persona y su temperamento, no puede presentarse ninguna dificultad. Pero los riesgos de equivocarse aumentan si el individuo es completamente desconocido; en ese caso, además de la intuición personal, siempre existe el recurso de los datos que nos ofrecen la morfología, el comportamiento y la forma de hablar y de vestirse de la persona.

La exigencia de la concentración

En hipnosis, el punto de partida es la concentración; se invita a la persona a fijar su atención en la mirada y/o en la voz del hipnotizador, o a dejarse absorber por la contemplación ininterrumpida de un objeto empleado como complemento hipnótico.

Pero el hipnotizador también debe concentrarse, y no sólo para dar un buen ejemplo. Su concentración resulta indispensable por los siguientes motivos:

— la naturaleza de una sesión hipnótica exige una dedicación absoluta desde el principio hasta el final, igual que si se tratara de una intervención quirúrgica extremadamente delicada;

— la menor distracción provocaría de inmediato vacilaciones, errores y omisiones que resultarían muy perjudiciales para el buen desarrollo de la sesión.

Por tanto, como hemos visto, es imprescindible estar en buena forma y descansado, tener la mente lúcida y estar dispuesto a alcanzar una concentración absoluta.

Importancia de la sugestión

La sugestión es el arma principal de la hipnosis, hasta el punto de que sin ella no existiría esta disciplina. Por este motivo, el éxito de cualquier experiencia hipnótica, sobre todo de la hipnoterapia, está en función de la calidad de las sugestiones empleadas desde el principio, primero para provocar la hipnosis, y después para guiar la voluntad de la persona hipnotizada.

Por calidad debemos entender aquí tanto el contenido como la presentación de las sugestiones.

El contenido varía, evidentemente, según se trate de un ejercicio de hipnosis pura y simple o del tratamiento del dolor, del insomnio, del tabaquismo, etc.

La calidad de las sugestiones es un tema que no debe inquietar: las fórmulas propuestas en los siguientes capítulos han sido debidamente probadas y pueden ser utilizadas sin inconvenientes.

Pero, en lo que respecta a la presentación, la calidad de las sugestiones dependerá exclusivamente del hipnotizador.

Como si fuera un actor, deberá elegir el tono más apropiado y persuasivo para cada circunstancia. Por ejemplo, para sugerir que los párpados pesan, al decir «pesan como el plomo», deberá emplear un tono grave que logre transmitir esa pesadez. Si lo que pretende es sugerir la levedad de algo, el hipnotizador deberá emitir las palabras «ligero como una pluma» con una modulación vocal particularmente suave. Lo mismo sucederá con todas las imágenes (claras u oscuras) que se evoquen.

Contribución del magnetismo

Ciertas técnicas hipnóticas implican el contacto de la mano. En este caso, el hipnotizador debe comunicar a la persona una especie de descarga energética, es decir, debe «magnetizarla».

Para que el magnetismo pueda tener un efecto curativo, el fluido magnético debe ser grande. Esto implica que sólo los individuos que tienen un potencial magnético excepcionalmente poderoso son capaces de curar utilizando esta técnica.

Cuando el magnetismo se emplea en técnicas hipnóticas no curativas, el fluido magnético no tiene por qué ser necesariamente superior a la media. Es suficiente con que el hipnotizador cumpla las siguientes condiciones:

— ser consciente de la existencia del propio magnetismo;

— poner la máxima voluntad para transmitir ese magnetismo cada vez que sea necesario y que la técnica hipnótica lo precise.

Si es necesario, el hipnotizador puede aumentar su magnetismo con ejercicios diarios: poniendo la mano derecha (izquierda si es zurdo) a unos cinco centímetros por encima de la de la otra persona; descargando su fluido magnético mediante una concentración intensa, hasta que el calor producido logre calentar la otra mano.

Ventajas de la práctica hipnótica

Se puede asegurar que quien se inicia en la hipnosis inaugura un nuevo período en su vida; basta una cierta experiencia en el campo de la sugestión y el magnetismo para adquirir la suficiente seguridad en uno mismo como para poder ejercer fascinación en los demás, lo que a su vez traerá consigo una existencia sana y equilibrada.

Si usted reúne las cualidades indispensables para practicar el hipnotismo y se dedica a ello más o menos regularmente se forjará una personalidad nueva, que le ofrecerá la posibilidad de vencer la adversidad mucho más fácilmente que en el pasado.

Podrá ver las cosas desde otra perspectiva, y podrá cuestionarse con distanciamiento su capacidad, su fuerza de voluntad y todo su ser.

Esto le proporcionará resultados incuestionablemente beneficiosos. Podrá tomar determinaciones categóricas sobre asuntos profesionales, familiares, sentimentales o de cualquier otro tipo, sin temor a equivocarse, pues su decisión partirá de consideraciones objetivas.

Además, ante usted se abrirán más fácilmente todas las puertas. El conocimiento de la hipnosis le proporcionará nuevos contactos; tanto en su lugar de trabajo como en su vida privada, al familiarizarse con los recursos de la fascinación, la sugestión, etc, obtendrá éxitos que de otra manera podrían resultar inconcebibles.

Y eso no es todo: el aprendizaje de la hipnosis le ayudará enormemente a asimilar y a practicar la auto-hipnosis, que es un medio excelente para defendernos de las presiones que la sociedad de consumo ejerce constantemente sobre nosotros, y cuyo objetivo final es procurar la máxima uniformidad de los individuos.

LECCIÓN 2

LAS PRUEBAS

Se han elaborado numerosos procedimientos que permiten saber si una persona es fácilmente hipnotizable o no.

Son pruebas indispensables en el momento de elegir el método hipnótico más apropiado para cada caso particular. Resultan igualmente adecuadas si se trata de *controlar la capacidad del hipnotizador que se inicia.*

Por tanto, nadie debe dedicarse a la práctica de la hipnosis sin haber realizado antes correctamente por lo menos alguno de los ejercicios que describimos a continuación.

Caída hacia atrás manteniendo la mirada fija

1) Pídale a alguien que se ponga de pie con los pies juntos y los brazos colgando.

2) Dígale (con voz dulce o imperativa, según le parezca más adecuado), lo siguiente:

— Míreme a los ojos... Siga mirándome fijamente, sin pestañear ni una sola vez... Bien, ahora cierre los ojos. No vuelva a abrirlos hasta que yo se lo diga. Mientras tanto, vamos a hacer un pequeño ejercicio. Bajo el efecto de mi poder hipnótico, su cuerpo se va a inclinar hacia atrás, pero no tema, no se caerá, yo lo sujetaré...

3) Póngase detrás de la persona, apoye las manos sobre sus omóplatos y, en tono firme, diga:

— En breves instantes sentirá que una fuerza lo empuja y caerá hacia atrás... Esa fuerza está empezando a empujarle hacia atrás... Ya está, su cuerpo se está inclinando hacia atrás sin que usted se dé cuenta... Cada vez se inclina más... Está empezando a oscilar... Cada vez oscila más... Se siente empujado hacia atrás, y no puede resistirse...

4) Si todo va bien y la persona comienza realmente a oscilar, es el momento de hacer una sugestión imperiosa:

—Una fuerza lo empuja hacia atrás... Usted cae hacia atrás... Cae... Cae hacia atrás... Cae... Cae...

5) Repita las palabras claves de la sugestión (Usted cae), hasta sentir que el cuerpo de la persona se inclina ligeramente hacia atrás, y en ese momento retire suavemente las manos (que han permanecido apoyadas en la espalda); apóyelas de nuevo cuando la persona esté realmente cayendo hacia atrás.

El magnetismo es una valiosa ayuda para llevar a buen término esta prueba. Al practicar la sugestión verbal y al concentrarse en la idea de hacer caer hacia atrás a la persona, se está transmitiendo a través de las manos el fluido magnético que tiene el poder de materializar dicho movimiento.

Caída hacia atrás manteniendo la mirada fija en un punto

En la prueba anterior la fascinación desempeña desde el principio un papel muy importante. Si considera que todavía no está lo suficientemente preparado como para poder ejercer su fascinación mediante la mirada, puede emplear el método que se explica a continuación:

1) Invite a la persona a permanecer de pie, con los pies juntos y los brazos extendidos a lo largo del cuerpo. Después, pídale que mire fijamente un punto que determinado, ya sea en la pared o en el techo, siempre que se vea obligado a levantar ligeramente la vista.

2) Mientras la persona está mirando el punto que usted ha designado, dígale:

— Siga mirando el punto... Concéntrese en ese punto... Mire solamente ese punto... Preocúpese únicamente por ese punto... Aíslese del mundo y déjese absorber sólo por ese punto... En unos instantes le pediré que cierre los ojos, pero aun así usted seguirá viendo perfectamente ese punto...

3) Colóquese detrás de la persona y continúe:

— Cierre los ojos e imagínese perfectamente el punto que acaba de contemplar... Siga con los ojos cerrados, no los va a abrir hasta que se termine esta experiencia, que permitirá evaluar su capacidad de relajación... Ahora voy a apoyar mis manos sobre sus hombros...

4) Ponga las manos sobre los hombros de la persona, y empiece a ejercer su magnetismo diciendo:

— Está usted sintiendo mis manos en sus hombros... De la misma manera, dentro de un momento sentirá una fuerza que tirará de usted hacia atrás y que lo hará caer... No se resista a esa fuerza, no tiene nada que temer, yo lo sostendré cuando caiga... Ya está, una fuerza le tira hacia atrás... Sí, no puede resistirse, le está arrastrando hacia atrás... Usted cae... cae...

5) Repita las palabras «Usted cae», hasta constatar su eficacia (normalmente ocurre en seguida); en ese momento, retire las manos repentinamente, pero intervenga en seguida para evitar que la persona caiga completamente.

Siempre que se cumplan los requisitos básicos (que el hipnotizador, aunque sea principiante, esté a la altura de las circunstancias, y que la persona hipnotizada no manifieste ninguna resistencia consciente o inconsciente a la hipnosis), el éxito de esta experiencia está garantizado, y se alcanza con relativa facilidad. Pero si se encuentra con dificultades, exprese lo siguiente:

— Es absolutamente necesario que esté relajado y que no muestre ninguna aprensión... Lo repito, no debe temer nada, usted no caerá porque yo lo sostendré... No se resista entonces a la fuerza que lo arrastra hacia atrás, abandónese, abandónese...

Y para facilitar su tarea, ponga las manos sobre los hombros de la persona e invítela a inclinarse hacia delante y hacia atrás, haciéndole notar, si fuera el caso, que, pese a no darse cuenta, se está resistiendo a sus instrucciones. Normalmente este paso no es necesario: la persona suele obedecer cuando se le solicita muy imperiosamente que se abandone.

Las manos apretadas

El siguiente procedimiento se basa fundamentalmente en la fascinación ejercida por medio de la mirada, la sugestión verbal, y una dosis de magnetismo:

1) Pida a la persona que se siente (también puede quedarse de pie siempre que el hipnotizador no sea mucho más bajo). Colóquese frente a ella, extienda los brazos hacia delante y junte las manos, mientras dice:

— Haga lo mismo que yo, extienda los brazos y junte las manos, como yo... Apriete bien las manos... Apriételas aún más fuerte... Mantenga los brazos tiesos y rígidos, como dos barras de hierro... Míreme a los ojos... Vamos a intentar que sus manos se unan todavía más...

2) Emita su fluido magnético recorriendo, a unos cinco centímetros de distancia, los brazos de esa persona. Repita ese movimiento cuatro o cinco veces, y después cójale las manos y apriéteselas, mientras fija en sus ojos una mirada intensa.

3) Continúe ejerciendo su fascinación por medio de la mirada y diga:

— Voy a unir fuertemente sus manos... Estoy empezando a unirlas... Sus manos están apretadas, muy apretadas... Dentro de un momento, cuando diga tres, será incapaz de separarlas... Por mucho que lo intente, sus manos seguirán fuertemente unidas... Cuanto más lo intente, menos lo logrará... Cuando yo diga tres, al intentar separarlas, tendrá la sensación de que sus manos se meten la una en la otra. Le resultará imposible separarlas... Le será completamente imposible... Cuanto más lo intente, más le parecerá que se juntan... Sus brazos se van a poner cada vez más rígidos... Sus músculos entran en acción, sus músculos se contraen...

4) Sin interrumpir la técnica de fascinación visual, siga manteniendo ligeramente apretadas las manos de la persona y afirme:

— Mis acciones endurecen sus músculos... Los brazos se le ponen tensos, rígidos, muy tensos y muy rígidos... Sus manos se están poniendo duras, como si fueran de madera... Siga mirándome, hunda su mirada en la mía... Voy a contar... Uno... Sus manos están sólidamente unidas... Dos... Sus manos están cada vez más fuertemente apretadas... Se aprietan aún más... Sus manos se adhieren una a la otra... Sus manos se clavan... Sus manos se pegan... Sus manos se sueldan... Sus manos están completamente adheridas ... Sus manos están pegadas... Pegadas, soldadas, clavadas...

5) Apoye su índice derecho (izquierdo, si es usted zurdo) en la frente de la persona, mientras mantiene la otra mano sobre las de ella; al mismo tiempo diga:

— ¡Tres!... Ahora es incapaz de separar las manos... Cuanto más lo intente, menos lo va a conseguir... Sus manos se unen cada vez más... Sus manos se adhieren cada vez más... Sus manos se sueldan cada vez más... Imposible separarlas... Cuanto más lo intenta, más difícil le resulta... Sus manos son in-se-pa-ra-bles. Cada segundo que pasa sus manos se unen con más fuerza... Imposible separarlas, se meten una en la otra... Inténtelo otra vez... Es inútil, le resulta imposible separarlas... Sus manos están unidas con el doble de fuerza... con el triple de fuerza...

La experiencia sólo puede tener éxito si se hace abstracción de la lógica, como es de suponer; tanto el hipnotizador como la persona sometida a la prueba deben olvidar lo absurdo de la situación y deben prestarse al juego con una entrega y una seriedad absolutas.

Esto implica que usted, como hipnotizador, debe tener un dominio constante de la situación, y debe emplear toda su persuasión para convencer totalmente a la persona de que no puede separar las manos. Y si en algún momento tiene la impresión de que su poder de sugestión disminuye (si la persona sonríe o tiende a rehuir su mirada), interrumpa su discurso y exíjale concentración.

Después, continúe normalmente con la sugestión verbal, procurando no interrumpir la fascinación visual.

***

Entre las numerosas variaciones de la prueba de las manos apretadas se encuentra la siguiente:

1) Invite a la persona a permanecer de pie, con las manos unidas por encima de la cabeza.

2) Mírele muy intensamente a los ojos y dígale:

— Míreme a los ojos... No desvíe la mirada... Mientras me mira fijamente, sus manos van a unirse cada vez más fuerte... Sus manos se entumecen y se aprientan cada vez más... Sus manos están apretadas, cada vez más apretadas... No puede separarlas ... Sus manos se aprietan, se aprietan... En esta posición le será imposible separarlas... Sus manos se unen cada vez más estrechamente... Forman un bloque unido, indisoluble... No puede separarlas... Inténtelo, haga un esfuerzo... Están pegadas de tal modo que por mucho que lo intenta siguen unidas... No es una cuestión de fuerza... Ya no puede separarlas...

Sólo cuando la persona da señales de estar suficientemente influida por la primera parte de la fórmula de sugestión se le invita a que realice el esfuerzo de separar las manos. Por otra parte, la fórmula debe repetirse incansablemente hasta constatar su efecto.

Los párpados cerrados

Esta prueba está destinada fundamentalmente a confirmar la eficacia de los precedentes (caída hacia atrás, caída hacia adelante, manos apretadas), pero también se puede utilizar independientemente. El procedimiento es el siguiente:

1) Invite a la persona que vaya a hipnotizar a sentarse y cerrar los ojos; colóquese a su derecha y dígale:

— Imagine que no puede abrir los ojos... Apriete los párpados... Cierre los ojos con fuerza... Voy a ayudarle a mantenerlos más cerrados...

2) Con la mano derecha (izquierda si es zurdo) pince la piel entre los ojos, *a la altura de la nariz,* y continúe:

— Dentro de un momento va a sentir cierta pesadez en los ojos... Los párpados van a empezar a pesarle, a pesarle mucho... Está empezando a sentir su peso... Sus párpados pesan, pesan mucho... Pronto no va a poder abrir los ojos... Sus párpados están ya pegados... Se pegan cada vez más... Va a resultarle muy difícil abrir los ojos... Es casi imposible... Yo estoy haciendo que sus ojos se cierren... Están pegados, y dentro de un momento le será imposible abrirlos, a pesar de todos sus esfuerzos... No puede levantar los párpados... Los músculos de sus ojos se contraen... Usted hace que se contraigan... Cada segundo que pasa se contraen más... Cada segundo que pasa, sus ojos se cierran más hermeticamente... Cuando yo diga «tres», le será imposible abrirlos... Cuando yo diga «tres» sus párpados estarán completamente apretados... Cuanto más intente separarlos, menos lo logrará... Cuando diga «tres», le resultará imposible abrir los ojos... Empiezo a contar: «uno»... Sus párpados están sólidamente cerrados... «Dos»... Sus párpados están cada vez más apretados... están completamente pegados...

3) Suelte de repente la piel que tenía pinzada, mientras dice:

— ¡Tres! Ahora sus ojos están cerrados... Ya no puede abrirlos... Sus ojos están completamente cerrados... Sus párpados están tan pegados que no puede abrir los ojos... Imposible levantar los párpados... Cuanto más lo intenta, más difícil le parece... Inténtelo otra vez... Imposible, es incapaz de abrir los ojos... Una fuerza cierra sus ojos...

4) Si a pesar de todo, la persona abre los ojos, continúe con la sugestión:

— Sus ojos no pueden seguir abiertos... Imposible, se le volverán a cerrar... No puede mantenerlos abiertos... Ya empiezan a cerrarse... Se cierran cada vez más... Se cierran completamente... Sus ojos se cierran, se cierran... Sus párpados se pegan, se pegan...

Las manos cerradas

Esta es una de las pruebas clásicas. Se puede realizar en grupo, lo que permite saber quién es más fácilmente hipnotizable.

El procedimiento es el siguiente:

1) Indique a las personas que deben sentarse, con las palmas de las manos abiertas sobre las rodillas, y los ojos cerrados.

2) Comience con la sugestión:

— Piense en sus manos, dirija toda su atención a sus manos... No se preocupe más que de sus manos... Concéntrese en sus manos... Es posible que se distraiga un momento, pero su atención volverá a centrarse rápidamente en ellas... Ahora mismo sus manos están abiertas, pero en seguida va a empezar a sentir que se cierran sin que usted pueda oponer resistencia... Un ligero temblor va a agitar sus dedos... Imagine que sus manos se van a cerrar... Imagine que se cierran involuntariamente... Sus dedos se van a mover, se van a doblar, se van a contraer... Sus manos se van a cerrar... Observe atentamente todas las sensaciones que experimenta... Tal vez tenga la impresión de que una débil corriente eléctrica pasa por sus brazos... Mire sus manos... Pronto sus dedos se doblarán tan ligeramente que casi no va a percibirlo... Sus manos se van cerrar... Ya va comenzar... Comienza... Ya está... Adivino los pequeños movimientos de sus dedos... Sus manos comienzan a cerrarse... Sus dedos comienzan a doblarse, primero muy poco, pero cada vez más... Su mano ya no puede permanecer inmóvil... Ya no puede mantener las manos abiertas... Sus manos se van a cerrar, se van a cerrar... Sus dedos comienzan a moverse... Sus dedos se cierran involuntariamente... Las falanges se doblan, usted lo percibirá claramente en unos instantes y no podrá evitar ese movimiento... Cuanto más intente abrirlas, más se cerrarán sus manos... Sus manos se cierran por segundos... Sus dedos se mueven, se doblan... Una fuerza le cierra las manos, es inevitable, es más poderosa que usted... Las mano se cierra... Los dedos se doblan... Cada segundo se doblan más... Una fuerza cierra sus manos... Sus manos se cierran involuntariamente... Se cierran poco a poco.... Es más fuerte que usted, tiene que cerrar las manos... Ahora sus manos ya no pueden mantenerse abiertas... se cierran... Cuanto más intenta abrirlas, más se cierran... Siente cómo sus manos se cierran... Se cierran y van a seguir cerrándose más y más... Los músculos de sus manos están actuando... Algunos dedos se doblan más rápidamente que otros... Sus manos se crispan un poco más por segundos... Pronto estarán completamente cerradas, tanto que no podrá abrirlas más... Usted siente cómo se mueven, cómo se cierran sus manos... Siente la fuerza que cierra sus manos... Sus manos se cierran... Se cierran... siguen cerrándose... más... más...

3) Cuando las manos se hayan cerrado por completo, continúe la sugestión con la siguiente fórmula:

— Sus puños están sólidamente cerrados... Sus manos se han convertido en dos armas muy poderosas... Sus puños están cada vez más herméticamente cerrados... Como los puños de un boxeador... Como si un candado los cerrara... Sus puños están muy, muy sólidamente cerrados... Dentro de un momento le será imposible abrirlos... Le será imposible abrir las manos...

4) Ponga el índice y el pulgar de la mano derecha sobre los párpados de la persona y continúe:

— Sus puños están herméticamente cerrados... Cuanto más intente abrirlos, menos va a poder... Sus manos están cerradas, apretadas... Imposible abrirlas... Absolutamente imposible abrirlas... Ya no puede abrir las manos... Lo intenta, pero no lo consigue... Cuanto más lo intenta, más difícil le resulta... Cuanto más se esfuerza, más se cierran sus manos...

5) Aborde el clímax de la sugestión en los siguientes términos:

— Ahora sus manos se van a aflojar progresivamente... Al mismo tiempo que se aflojan, va a sentir inmediatamente una somnolencia singular... Le va a invadir una irresistible necesidad dc dormir... Y rápidamente el sueño le va a vencer... Poco a poco sus manos se van a soltar, pero, al mismo tiempo, usted sentirá una somnolencia singular, una irresistible necesidad de dormir, e inmediatamente se quedará dormido... A la vez que sus manos se aflojan, el sueño se va a apoderar de usted... Sentirá al mismo tiempo que sus manos se sueltan y que tiene ganas de dormir... Y dormirá porque sus manos se aflojarán... Sus manos se soltarán porque usted dormirá... Sus manos se aflojan sin que se dé cuenta, y empieza a notar sueño... Mientras sus manos se aflojan siente una somnolencia singular... Siente un deseo irresistible de dormir... A medida que sus manos se abren, el sueño se hace más imperioso... Usted se adormece, sus manos se abren... A medida que su sueño es más profundo, sus manos se relajan... Cuanto más se abren sus manos, mejor es su sueño... Usted se duerme, sus manos se sueltan... El sueño le vence... El sueño le invade como una niebla... Sus manos se abren y van a seguir abriéndose... Sus manos están abiertas... Sus manos están relajadas... Usted está relajado... Usted duerme... El sueño es cada vez más profundo... Duerme, duerme... Desde el momento en que sus manos se relajan, todo su cuerpo se relaja... Usted duerme... duerme... duerme...

Señalamos que esta experiencia no provoca un sueño hipnótico auténtico; aunque el sujeto da la impresión de adormecerse, permanece siempre en estado de vigilia.

Imposibilidad de levantarse

Esta prueba exige que la persona esté sentada en un asiento con respaldo. La cabeza y la espalda deben descansar confortablemente, los dos pies tienen que estar apoyados en el suelo, y las manos sobre los muslos.

El procedimiento es el siguiente:

1) Extienda los brazos y las manos hasta rozar con la punta de los dedos a la otra persona, y mire fija e intensamente un punto entre sus ojos.

2) En la misma posición, y sin interrumpir la fascinación visual, diga:

—Míreme a los ojos... No retire la mirada... Dentro de un instante le será imposible levantarse de esa silla... Se sentirá literalmente adherido a ella, como atado con una sólida cuerda... Yo hago que se adhiera a esa silla... Empieza a sentirse pegado a la silla... La silla lo retiene cada vez más... Está pegado a la silla, cada vez más pegado... Cada segundo que pasa está más fuertemente adherido... Usted se pega a la silla... Se pega cada vez más... Está fijado a ella... Cada vez más fijado... Está realmente pegado a la silla... Cada vez más pegado... Cada segundo más pegado... Cuando yo diga «tres», usted no podrá levantarse, se sentirá clavado la silla... Cuanto más lo intente, más pegado se sentirá... Empiezo a contar: ¡«uno»!... Está muy adherido a la silla... Veo cómo su espalda se pega al respaldo... ¡«Dos»!... Cada vez está más apretado contra la silla... Está pegado... Cada vez más pegado... Su espalda se adhiere cada vez más a la silla... Forma un bloque con ella... Está unido a la silla, la silla y usted son una unidad... Y ¡«tres»!... Ya no puede levantarse... Imposible... Lo intenta pero no puede... Cuanto más lo intenta, más le cuesta... Una fuerza le impide levantarse... Está inmovilizado... Le resulta imposible levantarse... Absolutamente imposible...

Si la experiencia sale bien, la persona tiene realmente la impresión de no poder abandonar la silla. Normalmente, esta impresión se prolonga durante algunos segundos e incluso algunos minutos, según los individuos.

Clavado a la pared

Esta prueba, del mismo tipo que la anterior, tiene la particularidad de introducir explícitamente la auto-hipnosis.

Su desarrollo es el siguiente:

1) La persona que se va a hipnotizar debe ponerse de espaldas contra la pared y cerrar los ojos.

2) La sugestión verbal es la única arma con que cuenta esta prueba; intente desde un principio que su voz suene extremadamente persuasiva, y diga:

—Apóyese contra la pared, fuerte... Más fuerte... Un poco más fuerte... Cada vez más fuerte... Dentro de un momento se apoyará tan fuerte que le parecerá estar pegado a la pared... Se tiene que apoyar cada vez más fuerte... Apóyese muy fuerte... Tense los músculos... Ahora forma un solo cuerpo con la pared... Le va a ser imposible retirar la espalda de la pared... Encontrará mil dificultades para separarse... Cuanto más lo intente, más difícil le va a resultar... Cuanto más se esfuerce, más apretado contra la pared se va a sentir... Ya empieza a sentirse pegado a la pared... No puede separarse de la pared... Está pegado... Es incapaz de separarse... Su cuerpo necesita el apoyo de la pared... Su cuerpo busca ese apoyo... Es incapaz de retirarse... Le resulta imposible despegarse... Imposible irse... Cuanto más lo intenta, peor... La pared le retiene... La pared le atrae... Como si estuviera pegado a ella...

3) Invite a la persona a practicar la auto-hipnosis, pero continúe con la sugestión verbal diciendo:

—Ahora, mientras que por una parte le pido que repita mentalmente y sin cesar: «Estoy pegado a la pared, estoy pegado a la pared», por otra le voy a ayudar a conducir su pensamiento... Voy a hacer que se sienta todavía más adherido a la pared... Sus músculos se ponen rígidos... Sus piernas están duras, rígidas, cada vez más rígidas... Como dos barras de acero... Para tratar de despegarse, usted se apoya contra la pared con todas sus fuerzas... Cuando yo diga «tres», le será imposible separarse de la pared... Cuanto más lo intente, más difícil... Cuento: ¡«uno»!... Está pegado a la pared... ¡«Dos»!... Cada vez más pegado... Y ¡«tres»!... Imposible separarse de la pared... Cuanto más lo intenta, más difícil le resulta... No puede cambiar de postura... Se apoya sin cesar contra la pared, con más y más fuerza... El esfuerzo le hace transpirar... No puede evitar apoyarse... Es más fuerte que usted... Se apoya... Está adherido a la pared... Cuanto mayor es la sensación de estar pegado a la pared, más se apoya... Está pegado a la pared... Se siente paralizado... Está clavado a la pared... Está soldado a la pared... No puede ni avanzar ni retroceder... Imposible apartarse...

Si comprueba que la persona parece realmente no poder separarse de la pared, dé término a la sugestión afirmando: «¡Ahora, ya puede separarse de la pared!».

La imposibilidad de salir

Después de haber realizado con éxito alguna de las experiencias anteriores, y cuando, por tanto, haya encontrado alguna persona fácilmente hipnotizable, puede proponerle la siguiente prueba complementaria:

1) Colóquese junto a la persona cerca de la puerta de la habitación y ejerza la fascinación por medio de la mirada.

2) En tono dulce (o autoritario, según determine su juicio) diga:

— Le va a resultar imposible irse de esta habitación... Le es imposible abandonarla... Apenas toque el picaporte de la puerta, caerá en un profundo sueño... Cuando lo toque sentirá como si un velo negro cayera sobre usted... Se sentirá como entre la niebla y se dormirá... El picaporte de esta puerta está magnetizado, produce sueño... Al tocarlo tendrá una sensación extraña y, poco después, el sueño le envolverá... Usted no puede salir de esta habitación...

3) Si las señales exteriores permiten comprobar la eficacia de la sugestión (en caso contrario hay que repetir la fórmula desde el principio), diga:

— Inténtelo... El picaporte se resiste, y además le está hundiendo en un sueño profundo... Cada vez más profundo... Le es imposible salir de esta habitación... Cuanto más empeño pone, más difícil le resulta...

El balanceo lateral

Esta prueba puede proporcionar resultados bastante espectaculares, siempre que se realice con una persona que ya haya sido sometida a una de las pruebas precedentes.

1) Pida a la persona que se mantenga de pie, con los talones juntos y los brazos colgando.

2) Emplee su fascinación visual y diga:

— Míreme a los ojos... Dentro de un momento, se va a balancear de derecha a izquierda... Su cuerpo se va a balancear de derecha a izquierda... Sin que usted se dé cuenta, su cuerpo se balancea... Su cuerpo oscila... Se convierte en un columpio... Usted es un columpio... Sus pies permanecen inmóviles, pero su cuerpo va hacia la derecha... y después vuelve... Va hacia la derecha y después vuelve... Va de derecha a izquierda... No puede evitarlo... El balanceo se apodera de usted... Se balancea lateralmente... Es como si estuviera sobre el platillo de una balanza... Hay como un cabeceo... Usted se balancea... Se balancea...

Los globos

Esta prueba, que también es complementaria, supone una iniciación en el empleo de las imágenes mentales, recurso éste de importancia primordial en la práctica de la hipnosis. Es necesario:

1) Conseguir que la persona que se va a hipnotizar se relaje y no piense en nada; es irrelevante si está sentada o de pie.

2) Ejercer intensamente la fascinación verbal diciendo:

— Cierre los ojos y no los abra hasta que terminemos la experiencia... Estire los brazos y las manos hacia delante... Estírelos bien... Estírelos del todo.. Todavía más... Imagine que ha comprado en una feria doce globos de colores... Tiene que agarrar muy bien los hilos de los globos, porque si no se van a volar... Imagine bien los globos que sus manos tendidas hacia delante están sosteniendo... Siga con los ojos cerrados y trate de ver con la imaginación todos esos globos de colores, llenos de aire, que sus brazos sostienen para que no se vuelen... Los globos tiran de sus brazos hacia arriba... Tiran cada vez más... Empieza a tener cierta sensación de liviandad en los brazos... Siente que sus brazos son ligeros... Cada vez más ligeros... Ligeros como una pluma... Sus brazos se dejan llevar... Los globos los levantan... Sus brazos son tan ligeros como las plumas... Los globos suben, suben, suben... Le arrastran los brazos... Sus brazos suben con los globos... Los globos vuelan, vuelan, vuelan...

3) En cuanto la persona levante los brazos, termine con la sugestión diciendo:

— Si los globos reventasen, sus brazos caerían... Y ahora los globos revientan... Sus brazos caen.

Importante

Las pruebas que acabamos de exponer han sido especialmente seleccionadas para los lectores de acuerdo con la facilidad de su ejecución. Existen otras muchas, de dificultad variable, que se emplean habitualmente en hipnosis en todas las partes del mundo.

Como seguramente habrá notado, su mecanismo se basa en la progresión y en la repetición. Esta es la característica fundamental de los métodos hipnóticos. Una vez que se haya comprendido el principio básico, no será difícil elaborar sugestiones de cualquier naturaleza, que induzcan tanto a realizar actos como a imaginar hechos y situaciones.

En la práctica, no está obligado a seguir al pie de la letra los textos reproducidos. Puede introducir ligeras modificaciones, adaptar las frases-clave a las exigencias de cada caso. Lo esencial es atenerse al espíritu, a la construcción global.

Por otra parte, cualquiera que sea la prueba que se practique, debe extremar el poder persuasivo de su voz (en todo momento, el sujeto debe pensar que usted está absolutamente convencido de lo que dice), y conseguir que, gracias a la seducción de sus palabras, la persona termine experimentando una suerte de encantamiento.

LECCIÓN 3

HIPNOSIS POR SUGESTIÓN VERBAL

Hasta el momento, hemos analizado las pruebas destinadas a medir la resistencia a la hipnosis de los demás y a verificar la capacidad del hipnotizador. A continuación vamos a pasar revista a algunos métodos de hipnosis basados exclusivamente en la sugestión verbal; estos métodos se suelen aplicar a aquellas personas con dificultades para mantener fija la mirada en el hipnotizador, en un objeto o en un punto preciso.

Método de la relajación

1) Solicite a la persona que se tumbe cómodamente y que cierre los ojos.

2) Diga:

— Quisiera que usted se relajara, que relajara todo su cuerpo... Me gustaría que percibiera todas las tensiones que existen en sus músculos, y que después se relajara completamente...

3) Permanezca un momento en silencio y continúe:

— Antes de que empiece a relajarse, me gustaría que se diera cuenta de que está usted muy crispado... Tome plena conciencia de su estado de crispación y de la sensación de estar contracturado... Le invito a no continuar en ese estado, a soltar sus músculos... Sólo podrá controlar sus crispaciones si es consciente de ellas... Analícelas una a una y podrá eliminarlas más fácilmente... Está sintiendo algo raro en sus brazos y en sus piernas... Lo siente cada vez mejor y va a tratar de relajarse...

4) Respire profundamente y, en un tono cada vez más persuasivo, continúe:

— Relaje los músculos de la frente, relaje los músculos de la cara... Relájese... Relaje los músculos de la nuca... de los brazos... los músculos de las piernas... los músculos de todo el cuerpo... Su frente se relaja... Su cara se relaja... Piense que se está durmiendo... Los brazos y las piernas se relajan... Cada segundo que pasa se siente más relajado... cada vez más relajado...

5) Continúe empleando la misma entonación persuasiva y repita las siguientes sugestiones en este orden:

— Estire los brazos y las piernas... Las sensaciones de pereza y laxitud se apoderan de su cuerpo... Ahora siente la presión que el sofá ejerce contra su cabeza. Siente esa presión contra su nuca y contra sus hombros... Percibe cada vez mejor el estado de sus músculos y los relaja... Está sintiendo sus músculos... Y está eliminando las crispaciones... A medida que usted las percibe, actúa sobre ellas, se relaja y eso le proporciona un bienestar muy grande... Siente el sofá a lo largo de su espalda... Siente cómo sostiene su cuerpo... Está muy, muy relajado... Es como si su cuerpo se fusionara con el sofá, se fusionara completamente... Está experimentando una sensación de relajación y de reposo muy agradable...

6) Permanezca en silencio durante algunos segundos, antes de decir:

— Y ahora imagine un lugar muy agradable, muy placentero, un lugar en donde pueda tumbarse, olvidar sus preocupaciones, todos sus problemas, un lugar en el que pueda dormir tranquilamente... Un lugar en el que es feliz... Puede ser a orillas del mar, en la montaña, o en cualquier otro sitio... Piense en las vacaciones... Empiezo a notar en su rostro señales de relajación... Su respiración es pausada y profunda...

Piense en un perro o en un gato que se despereza al sol en un hermoso día de verano... Estírese usted también, estire las piernas y los brazos... Está de vacaciones, tiene todo el tiempo del mundo, se despereza... Su cuerpo está blando y relajado... Dentro de un momento estará más blando, más relajado, yo me encargo de eso...

7) Si es necesario, acérquese a la persona para poder efectuar las intervenciones manuales que comporta la siguiente fase:

— Voy a levantar su brazo derecho, y cuando lo suelte, usted dejará que caiga como si fuera un saco... Ya está, lo suelto... Voy a hacer lo mismo con el brazo izquierdo... Voy a levantarlo, y va a caer como un saco... Lo suelto y cae... Siente su cuerpo blando, relajado... Usted está relajado, muy, muy relajado... Todo su cuerpo lo está... Imagínese a sí mismo en un lugar paradisíaco, a orillas del mar, en las montañas o en donde prefiera, en un hermoso día... Se siente relajado, sin contracturas... Imagine bien la escena: está en medio de la naturaleza, a su alrededor todo es tranquilidad y reposo... También su espíritu está tranquilo, tan tranquilo y sereno como la imagen que le ofrece la naturaleza... Se siente cómodo, perfectamente relajado, le invade una sensación de gran bienestar... El paisaje que tiene ante los ojos le invita a la relajación, al reposo... Todo está tranquilo... Su espíritu es un reflejo del paisaje que le rodea... Relájese... En este paisaje todo es tranquilidad.

8) Deténgase unos segundos, antes de terminar con la siguiente fórmula:

— Ahora que su cuerpo está relajado, su cerebro empieza a nublarse... Las ideas se confunden... Ya no puede pensar... No tiene fuerzas para moverse... Tiene la impresión de no poder moverse... Se siente invadido por el entumecimiento... Una agradable sensación de torpeza se apodera de usted... Sus nervios se relajan... Sus músculos se relajan... se relajan... Es como si se encontrara flotando en el espacio, muy lejos de la tierra... Está anocheciendo... El cielo es azul... azul oscuro... No ve más que ese azul oscuro... No piensa en nada, absolutamente en nada... Su cuerpo está inerte... Sus brazos y sus piernas están inmóviles... Su cerebro se adormece... Y también sus miembros... No piensa en nada... Se ha alejado de todo... Se encuentra completamente entumecido... No piensa en nada... en nada... Se siente maravillosamente bien... Sólo ve el color azul... Pronto va a perder la noción del tiempo... El azul... La torpeza le invade por completo... Se siente bien... Totalmente relajado... Está relajado y duerme... Relájese y duerma... duerma... duerma... Tranquilamente, profundamente, duerma...

Método de los párpados

El siguiente procedimiento permite una hipnosis casi inmediata en casos de personas extremadamente sensibles a estas técnicas:

1) Pida a la persona que se tumbe cómodamente, y comience con la sugestión:

— Dentro de un momento va a sentir una gran fatiga... Se sentirá muy cansado... Los párpados le van a pesar... Le van a pesar tanto que le costará mantenerlos abiertos... Repito, dentro de unos segundos sentirá una enorme fatiga... Su cuerpo comienza a adormecerse...

2) Manténgase en silencio un instante antes de proseguir:

— No frene su deseo de cerrar los párpados... Esa necesidad no proviene del exterior, sino de su propia voluntad.

Esta fórmula proporciona excelentes resultados en personas muy tímidas y fácilmente hipnotizables; si se tratara de personas también fácilmente hipnotizables, pero con tendencia a creer en trasfondos mágicos, es más conveniente convencerles de que sus ojos se cierran por la presión de una fuerza exterior.

Método de la cama

Siempre que se trate de una persona excepcionalmente predispuesta a la hipnosis, el siguiente método produce una reacción positiva inmediata:

1) Pida a la persona que se mantenga de pie cerca de una cama o de un sofá, y colóquese detrás de ella;

2) Haga la prueba de la caída hacia atrás (ver páginas 25-28).

3) En el momento en que la persona inicia la caída, pronuncie, en tono imperativo, la siguiente orden:

¡«Duerma»!

Método de las nubes

Para terminar, he aquí otro procedimiento que se aplica, con notable éxito, a personas muy fácilmente hipnotizables:

1) Pida a quien vaya a ser hipnotizado que se instale cómodamente en un sofá o en un sillón.

2) En cuanto esa persona dé muestras de estar relajada y en condiciones de recibir la sugestión, diga:

— Bostece... Bostece... Bostece... Imagine que los pensamientos que están pasando por su mente son como las nubes que atraviesan el cielo... A usted no se le ocurriría correr tras las nubes o intentar atraparlas, ¿verdad?.. Pues lo mismo ocurre con sus pensamientos: debe dejarlos pasar... Puede observarlos, pero debe dejarlos pasar, como si fueran nubes... Renuncie a seguirlos... Las nubes irán desapareciendo poco a poco... Su cielo será límpido, sin nubes... Y, sin darse cuenta, se dormirá... Un sueño muy pesado se apodera de usted... Se va a dormir... Se siente bien... Se duerme...

LECCIÓN 4

HIPNOSIS POR CONTACTO

Aunque fundamentalmente basados en la sugestión verbal, los métodos descritos en este capítulo requieren cierto contacto manual, a través del cual el hipnotizador aporta y transmite su fluido magnético.

Método de la mano sobre la frente

Hay dos procedimientos: uno exige que el hipnotizador transmita su fluido magnético durante toda la sesión, mientras que en el otro esa transmisión sólo es parcialmente necesaria.

El primero tiene la ventaja de aumentar la concentración de la persona sometida a hipnosis y de fortalecer las sugestiones, pero exige un esfuerzo constante del hipnotizador, lo que por otra parte contribuye a que ciertas personas alcancen el sueño más rápidamente.

Si opta por esta versión, debe:

1) Solicitar a la persona que se tumbe cómodamente y que cierre los ojos.

2) Poner su mano derecha (izquierda, si es zurdo) sobre su frente, y aplicarle el *método de la relajación* (ver pág. 41).

⁂

Si desea recurrir a su fluido magnético sólo durante una parte de la sesión, proceda así:

1) Pida a la persona que se tumbe cómodamente y que cierre los ojos.

2) Explíquele el siguiente paso:

— Para que usted pueda dormir más fácilmente, a partir de un cierto momento yo apoyaré mi mano en su frente.

3) Aplique el *método de la relajación* (ver página 41), y cuando llegue a la última frase («... Tranquilamente, profundamente, duerma...») continúe de la siguiente manera:

— En cuanto le toque la frente se hundirá en un sueño todavía más profundo... Apenas ponga mi mano sobre su frente, sentirá que un velo le envuelve y caerá en un sueño cada vez más profundo... Voy a tocar su frente con mi mano... La oscuridad le va a rodear... Y eso va a terminar de adormecerle... Cuando ponga la mano en su frente dormirá mejor...

4) Ponga su mano derecha (izquierda si es zurdo) sobre la frente de la persona y diga:

— Mi mano está sobre su frente, y usted duerme todavía más profundamente... La niebla le envuelve... Todo a su alrededor es negro... Un sueño muy pesado se apodera de usted... Ya está... Ahora duerme cada vez mejor... Su sueño se hace más profundo por momentos... Sueño... Sueño... Sueño profundo... Sueño muy profundo... Cada vez duerme mejor... Está profundamente dormido, muy profundamente dormido... Duerma... Se duerme... Está durmiendo... Está muy dormido, pero oye el sonido de mi voz... Mi voz le calma y le adormece... Dormir es bueno... No piense en despertarse... Siga durmiendo... Tiene mucho sueño y duerme... Nada podrá despertarle, excepto yo... Nada puede despertarle... Va a dormir cada vez más profundamente... Va a dormir cada vez más profundamente...

Método de los pases magnéticos

1) Pida a la persona que se tumbe y que cierre los ojos.

2) Explíquele lo que va a hacer:

— Voy a ejecutar unos pases magnéticos que le van a resultar muy beneficiosos.

3) Roce durante unos tres minutos los hombros, los brazos, los muslos y las piernas de la persona, haciendo movimientos de arriba abajo, y sin pronunciar una palabra.

4) Mientras continúa con estos pases, diga:

— Mis pases le calman... Está empezando a sentir su influencia... En este momento experimenta sus efectos... Están empezando a manifestarse... Siente su influencia... Mis pases le tranquilizan... Noto que todo su organismo reacciona favorablemente... Esto va bien... Bajo la acción de mis pases sus músculos se aflojan... Poco a poco usted se relaja... Mis pases tienen el mismo efecto que una cura de reposo... Ya está usted mejor... Cada vez está más y más relajado... Los brazos y las piernas se relajan... Sus músculos se aflojan... Mis pases le son beneficiosos, muy beneficiosos... Va a sentir placer cuando se duerma... Mucho placer... Mis pases le llenan de paz interior... El hipnotismo le proporciona placer... Relájese... Abandónese... Bien... Muy bien... Hemos terminado con sus crispaciones de una sentada... Gracias a la relajación... Gracias al abandono del cuerpo... Tiene la sensación de estar flotando... Y esa sensación le agrada... Cada vez siente más placer en ser hipnotizado... Quiere que la hipnosis sea más profunda... Está notando la acción beneficiosa de mi voz en su sistema nervioso... La relajación le proporciona un goce inmenso... Deja que la relajación le absorba por completo... Azul... Ahora no ve más que el color azul...

5) Deténgase unos segundos, y después continúe:

— Su somnolencia le resulta muy agradable... Está disfrutando de un descanso delicioso... Al mismo tiempo, está oyendo mi voz... Va a encontrar un placer inmenso en dormirse... y en relajarse... Va a experimentar cada vez más placer en dormirse... Y mientras duerme escucha mi voz que lo arrulla... Su reposo es delicioso... Siente una agradable somnolencia... Su sueño mejora por momentos... Cada vez es más agradable... Usted duerme... Duerme... Descansa plenamente...

6) Continúe ejecutando los pases, y termine diciendo:

— Mis pases le ayudan a relajarse... Le ayudan también a conciliar el sueño... Cada pase implica una mayor relajación... Con cada pase se siente mejor... Con cada pase se duerme más profundamente... y mejor... Mis pases le brindan una plenitud absoluta... Cuantos más pases ejecuto, más sueño tiene... Cuantos más pases, mejor duerme...

Método del contacto ocular

1) Pida a la persona que se siente frente a usted y explíquele la técnica:

— Esta experiencia no pretende someter su voluntad; se trata más bien de que colabore en un proceso que le llevará a alcanzar una relajación total. Todo el mundo puede sentir lo que usted va a sentir en seguida, pero para ello debe permanecer inmóvil y en silencio. Vamos a empezar: mientras respira profundamente y trata de relajarse por completo, siga con la mirada el movimiento de mi mano.

2) Mantenga la mano a unos centímetros de sus ojos y explique el siguiente paso:

— Cuando baje la mano, usted bajará los párpados; cuando la suba, usted los levantará...

3) Mientras realiza lentamente ese movimiento, repita las instrucciones:

— Levante los párpados.... Baje los párpados... Levántelos... Bájelos...

4) Después de repetirlo unas diez veces, continúe haciendo el mismo movimiento con la mano a un ritmo regular, a la vez que dice lo siguiente:

— El corcho flota en el agua... Déjese llevar como un corcho en el agua... Usted flota como una barca sobre aguas tranquilas... Empieza a sentir su cuerpo extraordinariamente ligero... Se aleja poco a poco de la tierra, y flota en el aire como una pluma... Imagine bien la escena: está flotando en el aire, despegado de la tierra... Déjese llevar... La sensación de somnolencia que está sintiendo y que va a sentir cada vez más profundamente es muy normal... Le llevará a un agradable estado de indiferencia... Usted no piensa en nada... Absolutamente en nada... La sensación de calma le envuelve, y usted se relaja, se desentiende de todo, se va a dormir... Se va a dormir... Levante los párpados... Baje los párpados... Levántelos... Bájelos... Mientras levanta y baja los párpados, empieza a notar la relajación... Siga con la mirada los movimientos de mi mano y se sentirá cada vez más lejos, cada vez más relajado... Una agradable sensación de entumecimiento se apodera de usted... Siente una pesadez placentera, que le invade todo el cuerpo... Cada palabra mía aumenta su entumecimiento... su relajación... la pesadez que siente en todo el cuerpo... Y ahora también va a sentir esa pesadez en los párpados, y sus ojos van a experimentar cierta fatiga... Sus ojos se van a fatigar cada vez más... Sus párpados le van a pesar... Sus párpados le pesan... Pesan... pesan mucho... cada vez pesan más... Siga mi mano hacia arriba... hacia abajo... hacia arriba... hacia abajo... Siente cada vez más somnolencia... Se adormece... Tiene mucho sueño... Se duerme... duerme... duerme...

5) Normalmente, en este momento la persona cierra los ojos; si no lo hace, trate de acelerar el proceso diciendo «Cierre los ojos», o «Ahora puede cerrar los ojos». Si esto tampoco da resultado, acerque sus dedos índice y medio a los ojos de la persona, mientras continúa con la sugestión:

— Sus ojos pesan mucho y usted tiene ganas de dormir... Mire bien mis dedos... Los voy a acercar cada vez más y así sus ojos se cerrarán...

6) Cuando esto haya sucedido, presiónelos muy ligeramente y diga:

— Sus ojos están cerrados... No puede abrirlos... Permanecerán cerrados hasta que yo le invite a abrirlos.

Método de las gotas de agua

Este método, muy parecido al anterior, requiere para su ejecución un elemento más; la persona que se va a hipnotizar debe oír el sonido de gotas de agua que caen regularmente en un recipiente. Para ello se puede utilizar una grabación.

El procedimiento es el siguiente:

1) Indique a la persona que debe tumbarse cómodamente, cerrar los ojos y escuchar las gotas de agua que caen.

2) Pasados unos diez minutos, empiece diciendo:

— Abra los ojos y concéntrese en el ruido del agua; voy a empezar a contar, y cada vez que pronuncie la cifra «veinte» debe cerrar los ojos y volverlos a abrir. Cuento... Uno... Usted está cómodamente tumbado... Dos... Está completamente tranquilo... Tres... Tranquilo... *Veinte*... Muy tranquilo...

3) Si en esta primera tentativa la persona no cierra los ojos para reabrirlos inmediatamente después, repítale las indicaciones y prosiga:

— Cuatro... El ruido de las gotas de agua que caen le relajan y le llenan de paz... Cinco... Mientras escucha el ruido adormecedor de las gotas empieza a sentir que su cuerpo pesa... Seis... La pesadez le invade ... *Veinte*... Calma, pesadez, calor... Siete... Calma, pesadez, calor... Ocho... Siente un agradable entumecimiento en todo el cuerpo... Nueve... Es una sensación de torpeza muy agradable... *Veinte*... Calma, pesadez, calor... Diez... Le pesa todo el cuerpo... Once... Se encuentra muy bien... Doce... Experimenta un bienestar real... *Veinte*... Calma, pesadez, calor... Trece... Nada le molesta, nada le preocupa, nada le inquieta... Catorce... Las ideas se difuminan, deja de pensar... Quince... No piensa en nada, absolutamente en nada... *Veinte*... Calma, pesadez, calor... Dieciséis... Su espíritu se adormece... Diecisiete... Su cuerpo se adormece... Dieciocho... Siente una relajación absoluta... *Veinte*... Calma, pesadez, calor... *Veinte*... No oye nada más que las gotas de agua que caen y mi voz que le envuelve, mi voz que le calma... *Veinte*... Calma, pesadez, calor... *Veinte*... Su cuerpo caliente le pesa... Veintiuno... Sus párpados también empiezan a pesar... Veintidós... Sus párpados pesan... Veintitrés... Cada vez le cuesta más abrir los ojos... *Veinte*... Se siente muy somnoliento... Veinticuatro... Tiene unas ganas irresistibles de dormir... *Veinte*... Se está empezando a dormir... No puede abrir los ojos... Duerme... Duerme... Es como si estuviera entre las nubes, entre deliciosas nubes... sus brazos y sus piernas están inmóviles... Es un sueño reparador... Ha entrado en el sueño hipnótico... Duerme...

4) Ponga los dos dedos medios sobre los ojos de la persona y repita varias veces:

— Ha entrado en el sueño hipnótico...

Muchos métodos de hipnosis recurren al contacto manual para enfatizar las sugestiones verbales. En esos métodos el magnetismo humano cobra una importancia mayor; por ese motivo se suelen utilizar más frecuentemente en tratamientos médicos.

Un ejemplo puede ilustrar mejor hasta qué punto el fluido magnético contribuye a inducir al sueño hipnótico. Se trata de un procedimiento elaborado y practicado por el célebre Hector Durville, famoso hipnotizador y magnetizador francés que se destacó en la segunda mitad del siglo pasado.

Método de Durville

1) Dialogue con la persona para familiarizarse con ella y que nazca en usted un deseo profundo de curarla, o por lo menos de aliviarla, si la curación es poco probable.

2) Concéntrese para aunar sus fuerzas y prepárese para actuar.

3) Siéntese frente a la persona, con los pies y las rodillas contra los suyos; coloque las manos encima de las suyas, o sobre sus muslos, y dirija la mirada hacia su estómago durante unos cinco minutos. Estando en esa postura, coja a la persona de los pulgares; si en ese momento sus párpados tienden a bajar, es señal de que alcanzará el sueño hipnótico con facilidad.

4) Sitúese a la derecha de la persona y mantenga, durante unos tres minutos, los dedos de la mano derecha en su frente y los de la mano izquierda en su nuca.

5) Colóquese detrás de la persona y cójale la cabeza de tal forma que pueda apoyar la punta de los dedos en sus ojos; si no están ya cerrados, ciérrelos suavemente.

6) Sitúese de nuevo frente a la persona y acaricie muy suavemente sus párpados; a continuación ejecute muy lentamente algunos pases longitudinales (ver cuadro más abajo), desde la cabeza a la boca del estómago.

7) Termine con imposición de palmas y de dedos sobre las orejas, los ojos, la frente y todo el tórax, hasta el ombligo.

Normalmente, todas estas intervenciones provocan el sueño sin necesidad recurrir a la fascinación por la mirada o a la sugestión verbal.

PASES LONGITUDINALES LENTOS
(pases magnéticos por excelencia,
pues no requieren contacto)

Para ejecutarlos, son necesarios los siguientes pasos:

1) cierre las manos sin agarrotarlas;
2) sitúelas en el punto donde quiera iniciar el pase;
3) ábralas repentinamente, como si fuera a proyectar su poder magnético;
4) ejecute el pase propiamente dicho: con las manos abiertas para que emitan su fluido magnético, recorra lentamente el cuerpo de la persona a una distancia de unos diez centímetros, y en sentido descendente;
5) cierre de nuevo las manos y vuelva a repetir el proceso. Cada pase, desde la cabeza hasta el ombligo, debe durar por lo menos treinta segundos.

Es conveniente precisar que, mientras los pases lentos tienden a saturar y producir somnolencia, los pases rápidos suelen despejar la mente.

LECCIÓN 5

HIPNOSIS POR MEDIO DE LA FASCINACIÓN VISUAL

La fascinación visual está presente en todos los métodos de hipnosis analizados hasta el momento. Sin embargo, no es muy frecuente que se utilice de forma continuada desde el principio hasta el final de la sesión.

Método de la niebla

1) Invite a la persona a instalarse cómodamente en un sillón; sus brazos, su espalda y su cabeza deben estar apoyados para conseguir un mayor reposo; por otra parte, la temperatura de la habitación debe ser media y la iluminación suave.

2) Sitúese frente a la persona, fije la mirada encima de su nariz y proceda a explicarle lo que va a hacer:

— No es indispensable que se duerma completamente. Pero si siente sueño, no debe resistirse; si lo hace, abandonará la sensación de bienestar que va a encontrar dentro de un momento. Una vez aclarado esto, debe mirarme a los ojos y permitir que tome sus pulgares.

3) Hágalo y, en silencio, continúe ejerciendo la fascinación visual hasta observar señales de fatiga ocular; ciertas personas sienten ese cansancio al cabo de unos tres minutos, pero

otras pueden llegar a sostener la mirada del hipnotizador sin cansarse hasta diez minutos. Después continúe:

— Sus párpados tienden a bajarse... Tiene la impresión de que sus párpados pesan... Sus párpados parecen pesados, sus párpados parecen pesados... Pesan... Sus párpados pesan... La niebla va a aparecer ante sus ojos... Sus párpados pesan y van a pesar cada vez más... Dentro de poco sus ojos se van a cerrar... Va a sentir cierta somnolencia... Sus párpados pesan... pesan... pesan... Conforme pasan los segundos, sus párpados se hacen más y más pesados... Siente una leve comezón en los ojos... Tiene un velo delante... La niebla aumenta, se espesa, la visión se dificulta, ya no ve nada... Sus ojos se cierran poco a poco... Sus ojos siguen cerrándose... Sus párpados pesan como el plomo... pesan como el plomo... Sus ojos se cierran cada vez más... Y ahora se cierran completamente. Cuando yo diga «siete» van a permanecer cerrados... A medida que yo cuente, sus párpados se harán más pesados... Cuento: uno... Sus párpados pesan cada vez más... Dos... Sus párpados se cierran completamente... Tres... Sus párpados están cerrados y seguirán cerrados... Cuatro... Sus párpados son pesados como el plomo... Cinco... Tiene la cabeza embotada... Seis... Siente unas irresistibles ganas de dormir... Siete... Se adormece...

4) Suelte suavemente los pulgares de la persona y sitúese detrás de ella, posando las palmas de las manos en sus sienes, de forma que sus dedos medios se apoyen suavemente sobre los ojos. Después continúe de la siguiente manera:

— Sus miembros se entumecen... Sus miembros se entumecen y cada vez se van a entumecer más... Sus miembros se entumecen... Usted está adormecido... Siente una gran somnolencia... Está completamente adormecido... Su cabeza le pesa... Le pesa... Le pesa... Sus miembros le pesan... Todos sus miembros son pesados... pesados como el plomo... muy pesados... Todo su cuerpo es pesado... El sueño le vence... Tiene sueño... Cada una de mis palabras aumenta su somnolencia y pronto se sentirá profundamente adormecido... Piensa en dormir... Piensa, ante todo, en dormir... Tiene ganas de dormir... Le invaden unas ganas irresistibles de dormir... No percibe los ruidos que vienen del exterior... A su alrededor todo es calma y tranquilidad... El sueño se apodera de usted... Se duerme...

5) Deténgase unos momentos y prosiga:

— Ahora el sueño le vence... Le resulta imposible pensar en otra cosa que no sea en dormir... Una agradable sensación de torpeza se apodera de su cuerpo... Su cuerpo se relaja... Poco a poco todo se vuelve vago... Sólo oye mi voz... Tiene sueño... sueño... sueño... Tiene ganas de dormir... dormir... dormir... Cada una de mis palabras le adormece... cada vez más profundamente... Entra en un sueño profundo... muy profundo... Duerme... Se duerme... Duerme.

6) Normalmente, en este momento se produce el efecto buscado, pero si fuera necesario enfatizar la hipnosis deberá:

a) situarse de nuevo frente a la persona y coger su cabeza con las manos, uniendo los pulgares en medio de la frente;

b) en esta posición, dibujar con los pulgares círculos tangentes a las cejas, y repetir el movimiento varias veces mientras se realiza la siguiente sugestión:

— Ahora, el sueño le va a invadir... El sueño le vence... El sueño se apodera de usted... Imposible pensar en otra cosa que no sea en dormir... Está envuelto en brumas... Todo se obscurece... Sólo oye mi voz... Tiene sueño, sueño... Cada una de mis palabras le adormece más profundamente... Usted se duerme cada vez más profundamente...

c) Prosiga la sugestión silabeando las palabras, como si quisiera sincronizarlas con el tic-tac de un reloj:

— Duer-me... duer... me... usted... duer... me... pro... fun... da.... men... te... duer... me... cada... vez... más... pro... fun... da... men... te... Está dormido, tan dormido que cuando yo diga «siete», caerá... en un... pro... fun... do... sue... ño... Uno... Duerme... Dos... Duerme... Tres... Duerme... Cuatro... Duerme... Cinco... Duerme... Seis... Duerme aún mejor... Siete... Ahora está muy dormido... Nada puede despertarle, duerme cada vez más profundamente...

Método de las sacudidas

El siguiente procedimiento, que incluye la sugestión de la niebla, permite obtener una hipnosis muy rápida en casos de personas fácilmente hipnotizables.

1) La persona que va a someterse a la hipnosis debe sentarse frente a usted.

2) Tome a la persona por los hombros y sacúdala suavemente, de atrás hacia delante, fijando su mirada en un punto entre sus ojos, y diga:

— Míreme a los ojos... Su mirada se hace turbia... turbia... Sus brazos empiezan a pesarle... Sus piernas empiezan a pesarle... Todo su cuerpo empieza a pesarle... Sus ojos se cubren de un vaho... como si tuviera un velo delante... Una niebla aparece ante sus ojos... la niebla aumenta... se espesa... Sus ojos están fatigados, pero no los cierre mientras pueda... Sus ojos están extremadamente fatigados... Sus párpados parecen pesar... Sus párpados son pesados... pesados... pesados... sus párpados son pesados como el plomo... Siente un gran cansancio... Un agradable entumecimiento se apodera de su cuerpo... Se va a dormir... dormir...

3) Espere un momento, y cuando los ojos de la persona comiencen a parpadear, diga, en tono firme:

— Sus ojos parpadean, usted se va a dormir... dormir... Nada se lo podrá impedir... Usted se va a dormir, dormir...

4) En cuanto se cierren los ojos ponga su mano sobre ellos y prosiga:

— Sus párpados están pegados, no puede abrirlos... No podrá abrirlos hasta que yo se lo indique...

Método del calor

Este método también presenta un desarrollo muy rápido; sólo las personas muy sensibles a la hipnosis y al magnetismo reaccionan en el tiempo esperado.

El procedimiento es el siguiente:

1) Indique a la persona que debe sentarse cómodamente en un sillón de espaldas a la luz.

2) Ejerza la fascinación por la mirada, mientras dice con voz suave y monótona:

— Escuche atentamente lo que voy a decirle... Míreme a los ojos y, sin apartar la mirada, piense en el sueño... Piense en el sueño...

3) Sin interrumpir en ningún momento la fascinación por la mirada, ponga sus manos sobre las de la persona y prosiga:

— Mis manos puestas sobre las suyas van a transmitirle calor... Una sensación de calor se va a apoderar de sus brazos... Una sensación de calor se va a apoderar de sus brazos... Una onda de calor va a subir por sus brazos... No aparte la mirada... Sus brazos van a empezar a calentarse... Dentro de un momento sus brazos se van a calentar... Ya está... El calor se apodera de sus brazos... Por sus venas corre sangre caliente... Su brazo derecho está caliente... muy caliente... Su brazo derecho está muy caliente... Su brazo izquierdo está caliente... muy caliente... Su brazo izquierdo está muy caliente... muy caliente... calentísimo... Sus dos brazos están calientes y eso le proporciona una sensación muy agradable... Sus brazos se van a adormecer... Sus brazos se adormecen y es muy agradable... Siente que todo el cuerpo se le adormece... Esa sensación se apodera de usted... Usted está adormecido... Está totalmente adormecido y eso es muy agradable... El calor avanza en todo su cuerpo... La torpeza le invade... Todo su cuerpo está paralizado por la torpeza... todo su cuerpo está caliente... caliente y adormecido... Está disfrutando de la languidez y de la torpeza que le invade... La sensación de bienestar es total...

4) Continúe mirando fijamente el punto entre los ojos y comience a ejecutar los pases longitudinales lentos (ver página 54), desde la cabeza a la boca del estómago, mientras sugiere:

— Sus ojos están fatigados... Los párpados le pesan, la cabeza le pesa también... Sus ojos están cansados, cada vez más cansados... Un cansancio inmenso se apodera de usted... siente una deliciosa fatiga... Sus párpados son pesados, pesados, pesados, pesados como el plomo... Y sus ojos comienzan a parpadear... Sus ojos comienzan a parpadear... Sus ojos están a punto de cerrarse... Su cabeza es pesada, pesada...

5) Para conseguir que la persona cierre los ojos, si no lo ha hecho ya, apoye la mano derecha (izquierda si es zurdo) en su frente, e inclíne la cabeza muy suavemente.

6) Una vez que los ojos se cierran, oprima muy suavemente los párpados con la yema de los pulgares, y continúe:

— Ahora, usted duerme... duerme... Está dormido...

La fascinación por medio de la mirada contribuye al éxito de la hipnosis no sólo en los métodos que acabamos de describir, sino también en gran número de procedimientos utilizados por los hipnoterapeutas con mayor o menor frecuencia. Algunos de esos procedimientos son bastante complejos, pero no faltan métodos extremadamente simples, que sin embargo exigen, por una parte, un hipnotizador muy dotado y muy experto, y por la otra, un sujeto particularmente susceptible a la hipnosis. El siguiente es un ejemplo:

Método Boule

El hipnotizador se sitúa de pie frente a la persona y le pide que le mire fijamente.

Al cabo de algunos instantes, con voz fuerte y en el tono más firme posible, el hipnotizador ordena:

— Va a dormirse inmediatamente. Su cabeza se inclina hacia atrás... Pierde conciencia... ¡Duerma!

Como verá, es una experiencia muy corta, que requiere una pericia enorme por parte del hipnotizador, que debe además poseer un dominio absoluto de la fascinación visual.

LECCIÓN 6

HIPNOSIS POR CONTEMPLACIÓN DE UN OBJETO O DE UN PUNTO

Si todavía no se siente capaz de hipnotizar utilizando la fascinación visual, o incluso sin ella, seguramente le interesará conocer los métodos de hipnosis a través de la contemplación de algún objeto o la concentración en un punto determinado, ya sea real o imaginario.

Método «izquierda-derecha»

1) Elija el objeto que va a utilizar; puede ser un lápiz, una llave, un anillo, una moneda, o cualquier otra cosa, preferentemente algo que brille. También puede optar por señalar un punto cualquiera del techo o de la pared.

2) Pida a la persona que se siente cómodamente.

3) Mantenga el objeto elegido por encima de los ojos de la persona, a unos veinticinco centímetros de distancia, o indíquele qué punto del techo o de la pared debe mirar fijamente.

4) Diga:

— Quiero que tome conciencia de su cuerpo. Estire los brazos y contraiga los músculos desde los hombros, concentrando su pensamiento en la relajación del resto de su cuerpo... Mire el objeto (el punto), no aparte los ojos de él... Usted mira fijamente el objeto (el punto) y estira los brazos contrayéndo los músculos desde los hombros, mientras percibe la relajación de los demás músculos... Sus piernas se relajan... ¡Baje los brazos!...

5) Cuando los brazos de la persona hayan retomado su posición inicial, prosiga:

— Ahora, siempre mirando el objeto (el punto), estire las piernas y sienta la relajación de los demás músculos... Mientras que los músculos de sus piernas se tensan, sus brazos se relajan... Ahora, tense la pierna y el brazo derechos, y compare esa sensación con la relajación de la pierna y el brazo izquierdos... Mientras mantiene contraídos la pierna y el brazo derechos, concéntrese en obtener la máxima relajación en la pierna y el brazo izquierdos... Ahora, contraiga el lado izquierdo, brazo y pierna, y relaje el derecho... El lado izquierdo se tensa... El lado derecho se distiende... Note la diferencia... Ahora, tense el brazo izquierdo y la pierna derecha... Mientras los mantiene tensos, el brazo derecho y la pierna izquierda se distienden... Ahora, tense el brazo derecho y la pierna izquierda... Mientras los contrae, su brazo izquierdo y su pierna derecha se relajan... Ahora, distienda el brazo derecho y la pierna izquierda...

6) Deténgase un momento, y continúe con un tono de voz más sugestivo:

— Está usted a punto de obtener la relajación... Sin apenas darse cuenta, poco a poco se relaja... Muy poco a poco... Lentamente empieza a relajarse... Se va a relajar... Conforme pasa el tiempo se siente más relajado... tranquilo... Empieza a relajarse... Su relajación aumenta mirando ese objeto y escuchando mi voz... Relaje los músculos de la frente... Los músculos de la frente se relajan... Relaje los músculos de la cara... Los músculos de la cara se relajan... Relaje los músculos de las piernas... Los músculos de las piernas se relajan... Relaje los músculos de los brazos... Los músculos de las piernas y de los brazos se relajan... Cada vez se siente más y más relajado... La frente, la cara, el pecho, el vientre, los brazos, las piernas, están relajados... Todo su cuerpo está relajado... La relajación se apodera de todo su cuerpo... Está disfrutando de un estado muy agradable... Tiene una deliciosa sensación de relajación... Se siente bien... Se siente muy bien... Su respiración es profunda y regular... profunda y regular... Su corazón late con un ritmo pausado... pausado y seguro... Se siente maravillosamente relajado... No puede evitarlo... Y se va a sentir cada vez mejor... La relajación le absorbe... Se diluye en ella... Y esta maravillosa relajación le hace adormecerse... Se adormece... El sopor es cada vez mayor... Está tranquilo, relajado, despreocupado de todo...

7) Después de unos segundos de interrupción para recobrar el aliento, continúe:

— Ahora, le invade la pesadez, empieza a sentir su cuerpo pesado... Una agradable sensación de pesadez invade su cuerpo... Su cuerpo se relaja... Su cuerpo se hace pesado, como si se llenara de plomo... Los pies, las piernas, los brazos, todo empieza a pesar... Y pesa... pesa... Todo el cuerpo le pesa... pero es una sensación agradable... Siente la sangre caliente circulando por sus venas... Un agradable calor le invade... El calor le envuelve como cuando está dormido... Se siente maravillosamente bien... Su respiración es profunda y regular... Su corazón late pausadamente... Sus párpados empiezan a pesar... La somnolencia le vence... Sus párpados se hacen pesados... pesados... pesados... Sus párpados se hacen pesados, cada vez más pesados... Sus párpados son pesados, extremadamante pesados... pesados... pesados... Sus párpados pesan y van a pesar cada vez más... Piense en el sueño y en nada más... Pesados... Pesados... cada vez más pesados... Sus párpados pesan... pesan más y más... Tiene un velo, una niebla delante de los ojos... La niebla aumenta... La niebla se espesa... Le resulta imposible mirar con los ojos abiertos... Sus párpados pesan cada vez más... Se siente bien... Muy bien... Tiene ganas de dormir... Cada vez tiene más ganas... No puede evitarlo... Sus ojos se cierran, se cierran completamente... Su respiración es profunda y regular... lenta y profunda... A medida que respira, su sueño se hace más profundo... Ahora sus ojos se han cerrado... Se duerme... Duerme... duerme...

Método «izquierda-derecha» bis

Las únicas diferencias con el método anterior son las siguientes:

— la persona debe permanecer por lo menos ocho minutos mirando intensamente el objeto antes de empezar con las sugestiones;

— cuando termina la fase silenciosa, el hipnotizador dice: «Sus ojos empiezan a cansarse, como era de esperar. Mis palabras y la contemplación de este objeto contribuirán a que se sienta más y más relajado»;

— el hipnotizador baja lentamente el objeto, a la vez que prosigue con las sugestiones del método «izquierda-derecha».

Método de la barca

1) Haga que la persona se instale cómodamente (en un sillón, en una cama, etc.).

2) Dialogue con ella con el fin de ganarse su confianza, explicándole, por ejemplo, qué se pretende con este método:

— Necesito su colaboración, por su propio interés. La hipnosis le será muy beneficiosa. Gracias a ella alcanzará la relajación, desaparecerán sus preocupaciones, se desvanecerán sus obsesiones... Tenga la seguridad de que su personalidad no se verá afectada... Simplemente, voy a intentar relajarle, terminar con la crispación que le paraliza, eliminar su nerviosismo...

3) Una vez obtenido el consentimiento, continúe:

— Será muy agradable, ya lo verá... Voy a hacer que entre en un estado de relajación extremadamente beneficioso... Siguiendo mis consejos, conseguirá desconectarse de sus problemas... No trate de comprender... Déjese llevar... Imagine una barca vacía que flota sobre el agua con total libertad... Sienta que flota como esa barca... A partir de este momento, no trate de comprender... Piense en la barca sobre el agua...

No piense en nada más, en nada más... Abandónese... así está mejor... Usted se abandona... más... más... Es como una barca sobre el agua, una barca sobre al agua... Esa barca le conduce a un delicioso ensueño... Le espera una experiencia enriquecedora... Va a disfrutar de momentos de placer, de relajación y serenidad del cuerpo y del espíritu... Descubrirá un estado especial... un estado indefinible que lamentará abandonar porque le proporcionará una relajación excepcional, inigualable... Desconéctese... Corte los lazos con el mundo exterior... Desde ahora está unido sólo a mí... La relajación le proporcionará un inmenso placer... La calma y la dulzura le envolverán y le mecerán, como una barca sobre el agua, como una barca sobre el agua...

4) Deténgase un momento, señale un punto determinado del techo o de la pared, y diga:

— Vamos a comprobar si está bien relajado. Mire ese punto atentamente, muy atentamente... Concéntrese en él... No mueva los ojos... A partir de este instante, ese punto es lo único que cuenta para usted... Usted se aísla del mundo... El mundo ya no tiene importancia... ya no cuenta... Toda su atención se fija en ese punto... Se evade de todo... Toda su atención está centrada en ese punto... Nada más existe para usted... Mírelo muy fijamente... Respire a fondo y relájese... Bien... Perfecto... Se está relajando completamente... No piense en nada... no piense en nada... Su visión se va a hacer confusa... La niebla le envuelve... La niebla aumenta, se espesa... Vamos a pensar en el sueño... Como en un sueño, ve a una persona durmiendo... Percibe el bienestar que está experimentando... Piense que usted también duerme... La imagen del sueño se instala en su espíritu... Sólo piensa en dormir... Desde ahora, la idea da dormir le causa un inmenso placer... Se encuentra bien... muy bien... La somnolencia le empieza a invadir muy lentamente... Va a sentir pesadez en los párpados, fatiga en los ojos... Sus ojos parpadean... Sus ojos se nublan... Su visión es cada vez más turbia... Ya no ve nada... Sus ojos se cierran... Está en un estado de calma absoluto... Se relaja, se despreocupa de todo, se va a dormir... Sus ojos se cierran, se cierran completamente... No puede evitarlo, sus ojos se cierran... Ya no puede abrirlos... Siente pesadez en los brazos, ya no siente nada, los brazos y las piernas están inmóviles... Ya no ve nada... Todo su cuerpo es pesado... pesado... Todo su cuerpo es pesado... pesado... Tiene sueño... mucho sueño... Se siente débil... sumamente débil... pero se encuentra tan bien... Está sosegado... Una indescriptible calma interior le llena... Todos sus músculos están relajados... muy relajados... está sosegado... tranquilo... completamente tranquilo... La calma reina a su alrededor... Cuenta con las condiciones ideales para poder descansar... Está tranquilo... y tiene sueño... sueño... Desde lo más profundo de su cerebro, la necesidad de dormir se apodera de usted... Una imperiosa necesidad de dormir... Su respiración es lenta, cada vez se relaja más, y está más dispuesto a abandonarse... Su disposición a abandonarse es cada vez mayor...

5) Deténgase unos minutos y aproveche para recuperar el aliento; después prosiga:

— Sus párpados están cerrados y usted no tiene ninguna gana de abrirlos... El sueño es cada vez mayor... Le resulta imposible hacer el más mínimo movimiento... Lo único que puede hacer es dormir... Ya casi duerme... Está cada vez más tranquilo... Se va a dormir... Contaré hasta tres y se dormirá... Uno... Ya está... Está adormecido y ésa es una sensación muy agradable... Imposible hacer el menor movimiento... Dos... Duerme... Duerme cada vez más profundamente... Tres... Está dormido... No ha perdido la conciencia pero duerme profundamente... Respira lentamente, con inspiraciones profundas, y duerme... duerme... duerme... Mientras yo no le pida que se despierte, va a seguir durmiendo y nada podrá molestarlo... Se encuentra muy bien... Está completamente consciente, pero se siente tan bien que no quiere moverse ni pensar... Está muy relajado... Sólo me escucha a mí, no oye más que mi voz... pero yo no haré nada que pueda incomodarle... Y cuando yo le diga que despierte, se sentirá mejor que nunca, reposado, relajado, con la mente clara... Duerme... Sólo me oye a mí... mi voz... mi voz que resuena, y nada más... Mi voz le tranquiliza y le adormece... Con cada palabra que yo pronuncio, su sueño se hace más profundo...

6) Finalice diciendo:

— Todo su cuerpo se adormece... Usted está totalmente adormecido... Una agradable sensación de torpeza se ha apoderado de todo su cuerpo... duerme... duerme... Se despertará sintiéndose fresco y descansado... Duerme... duerme...

Si tiene previsto realizar otras sesiones, utilice para terminar la siguiente fórmula:

— Cada sesión le servirá para sentirse más y más relajado... En cada sesión podrá hundirse en un sueño reparador, beneficioso, un sueño saludable que le dará nuevas fuerzas... Un sueño que hará de usted otra persona... Un sueño que le proporcionará una relajación tan prolongada como desee... Todo su cuerpo se adormece... Usted está totalmente dormido... Un entumecimiento agradable se ha apoderado de todo su cuerpo... Duerme... duerme... Cuando despierte de este sueño se sentirá fresco y relajado... En las sesiones posteriores dormirá aún más profundamente... La próxima vez estará todavía más relajado... en mejores condiciones para descansar... Duerme... duerme...

Método del calor y de la pesadez

La famosa técnica de relajación elaborada en los años veinte por el psicoterapeuta alemán Schultz *(Entrenamiento autógeno)* se aplica en este método que se basa, por lo menos en parte, en la contemplación permanente de un objeto. Se procede de la siguiente forma:

1) Invite a la persona a permanecer cómodamente tumbada.

2) Escoja un objeto, a ser posible brillante, y muéstreselo, situándolo por encima de sus ojos, a una distancia de unos veinticinco centímetros; empiece diciendo:

— A partir de ahora, *debe mirar fijamente este objeto...* Al mismo tiempo, convénzase de que se siente tranquilo, completamente tranquilo... Imagine esa sensación...

3) Después de unos instantes de silencio, prosiga:

— *Sin separar la mirada de este objeto,* centre la atención en su brazo derecho... Ese brazo va a empezar a pesarle... Su brazo derecho se hace pesado... Su brazo derecho pesa... pesa más y más... Su brazo derecho pesa y va a pesar cada vez más... Es pesado... es pesado... pesa... pesa... Su brazo derecho pesa mucho... Su brazo derecho pesa muchísimo...

4) Deténgase unos instantes, y continúe:

— Ahora es el turno de su brazo izquierdo... Concéntrese en el brazo izquierdo... *Sin apartar la mirada del objeto* que sostengo por encima de sus ojos, dedique todos sus pensamientos a su brazo izquierdo... Va a sentir pesadez en ese brazo... Su brazo izquierdo va a empezar a pesar... Su brazo izquierdo pesa... Y usted siente esa pesadez... Su brazo izquierdo pesa... Su brazo izquierdo empieza a pesarle mucho... Su codo pesa... Su brazo izquierdo pesa cada vez más... Es pesado... pesado... pesa...pesa... Su brazo izquierdo pesa muchísimo...

5) Manténgase un momento en silencio, y prosiga:

— Concéntrese ahora en su pierna derecha... Dentro de un momento va a sentir pesadez en ella... Empieza a sentir un peso en la pantorrilla... La pantorrilla le pesa... Toda la pierna derecha le pesa... le pesa... le pesa... cada vez más ... La pierna derecha le pesa mucho... La pierna derecha le pesa muchísimo... Ahora, centre su atención en la otra pierna... La pesadez se apodera de su pierna izquierda... Abandónese a esa sensación... Su pierna izquierda empieza a hacerse pesada... Su pierna izquierda pesa y va a pesar cada vez más... Está empezando a sentir el peso... La pierna izquierda pesa... la pierna izquierda pesa... la pierna izquierda pesa mucho... pesa muchísimo... La pierna izquierda pesa como si fuera de plomo... Toda la pierna izquierda le está pesando... Su cuerpo entero le está pesando... pesa... pesa... es una masa pesada... Usted se siente relajado... Está cada vez más relajado... Le invade una sensación de relajación... La relajación avanza dentro de usted... de músculo en músculo... Está maravillosamente relajado... Y ahora, además, empieza a subir por su brazo derecho una onda de calor... Y en ese brazo centra ahora su atención... Su brazo derecho va cogiendo calor... Su brazo derecho se pone caliente... Su brazo derecho se está poniendo caliente... Su brazo derecho está completamente caliente... Es normal, a la relajación de los músculos sigue la relajación de los vasos... Se origina un calor que no va a tardar en generalizarse... El brazo derecho está totalmente caliente... el brazo derecho está totalmente caliente... el brazo derecho está totalmente caliente....

6) Después de las numerosas repeticiones, algunos instantes de reposo. Reanude la sugestión de la siguiente manera:

— Ahora, la onda de calor aparece en su brazo izquierdo... Centre la atención en él... Ya comienza a sentir el calor... El brazo izquierdo se pone caliente... Un agradable calor recorre su brazo izquierdo... El brazo izquierdo está totalmente caliente y es muy agradable... El brazo izquierdo está totalmente caliente... Y usted se da cuenta de que esa sensación de calor afecta positivamente a su sistema nervioso... Ahora, preste atención a su pierna derecha... La sangre contenida en ella se calienta, el calor llega a su pierna derecha... Su pierna derecha se pone caliente... Desde el muslo hasta la punta del pie, siente su pierna derecha caliente... La pierna derecha está caliente, muy caliente... Y ahora, céntrese en su pierna izquierda... Sienta bien su pierna izquierda, imagínela en relación al resto de su cuerpo... Desde el muslo hasta el pie, la sangre caliente la recorre... Igual que ha sucedido con su pierna derecha, su pierna izquierda se calienta... Un calor agradable le recorre la pierna izquierda... Su pierna izquierda está caliente... Usted siente un delicioso calor en la pierna izquierda... La pierna izquierda está muy caliente... la pierna izquierda está muy caliente... la pierna izquierda está muy caliente... Y usted siente ese calor agradable en todo el cuerpo... Siente su cuerpo completamente caliente... siente su cuerpo muy caliente...

7) Permanezca en silencio un instante antes de continuar:

— *Continúe mirando ese objeto,* continúe mirándolo fijamente... Mientras lo contempla seguirá gozando de una agradable sensación de pesadez en la cabeza y en todo el cuerpo... Esta agradable sensación le va a conducir a un estado hipnótico profundo, sano, muy beneficioso... Sueño... Usted tiene sueño... Respire lenta, profundamente, sin esfuerzo... Escuche mi voz... A medida que hablo siente más deseos de dormir... Sus ojos se ponen lacrimosos... Sus párpados parecen pesados... Sus párpados son pesados... Sus párpados comienzan a pestañear... Se bajan... Sus ojos ya no pueden estar abiertos... Le cuesta cada vez más mantener los ojos abiertos... Su vista se enturbia, es como si tuviera un velo delante de los ojos... A su alrededor surge la niebla... La niebla aumenta... se espesa... Le cuesta tener los ojos abiertos... *Continúe mirando este objeto...* Sus ojos están cada vez más cansados... Sus ojos dan señales cada vez más claras de cansancio... Sus párpados son pesados... pesados... pesados... muy pesados... como si fueran de plomo... Sus ojos se van a cerrar... Sus ojos se van a cerrar y ya no podrá volver a abrirlos... Sus ojos se van a cerrar y usted va a caer en un profundo sueño... Sus ojos se cierran... No puede evitarlo... Sus ojos se cierran... Usted sigue escuchando mi voz, comprende lo que digo...

8) Aborde la fase final diciendo:

— Voy a contar hasta tres... Cuando yo diga «tres», dormirá profundamente... Cuando yo diga «tres», su sueño será profundo... Cuento: uno... Su cuerpo entero pesa más y está más caliente... Su mente está cada vez más dormida... Los brazos son pesados... los dos brazos son pesados... Los brazos y las piernas le pesan... los brazos y las piernas le pesan... Todo el cuerpo le pesa y está caliente... le pesa y está caliente... Dos... Cada vez pesa más... Se siente cansado, muy cansado... agradablemente fatigado... Experimenta una languidez agradable... Todo su cuerpo es invadido por un entumecimiento agradable... Todo su cuerpo es pesado... Todo su cuerpo se relaja... Todo su cuerpo pesa y está caliente... todo su cuerpo pesa y está caliente... pesa y está caliente... Su cuerpo es una masa pesada y caliente... Tres... Ahora duerme muy profundamente... Duerme con sueño profundo... Duerme...

duerme... Nada puede despertarle... nada puede despertarle... Está dormido... Duerme cada vez mejor...

Si todo se ha desarrollado según lo previsto, a esta altura la hipnotización ya se ha producido. Pero se imponen dos aclaraciones:

— Con una persona zurda, las sugestiones deben referirse primero al brazo izquierdo y después al brazo derecho; de la misma manera, llegado el momento, primero se aludirá a la pierna izquierda y después a la derecha.

— Si fuera necesario, para enfatizar el efecto de las sugestiones, el hipnotizador puede rozar muy levemente el brazo y la pierna que se suponen pesados y calientes.

Método del índice

Paul-Clément Jagot, uno de los más eminentes hipnotizadores franceses de nuestro siglo, admirador y seguidor del célebre Bernheim, ha desempeñado un papel muy importante en la creación de este método, que consta de las siguientes fases:

1) Indique a la persona que debe instalarse cómodamente en un sillón, de espaldas a la luz.

2) Tome entre sus manos los pulgares de la persona que tiene delante y ejerza una ligera presión sobre ellos, a la altura de la raíz de las uñas (zona considerada como hipnógena).

3) Diga:

— Ante todo, debe relajarse... Afloje los brazos y las piernas, déjelos descansar... Deje descansar bien sus miembros... Yo voy a hacerle dormir suavemente, gradualmente. No hay razón para inquietarse, lo que le voy a hacer será sumamente agradable... Poco a poco, le va a invadir un cierto embotamiento... Se sentirá bien, realmente bien... El sueño le va a vencer y a medida que eso suceda, empezará a sentir el descanso... Tendrá la misma impresión que se tiene cuando, estando desvelado o demasiado cansado para poder dormir, el sueño llega repentinamente, sin darnos cuenta...

4) Suelte los pulgares, lleve su índice derecho (izquierdo, si es zurdo) delante de los ojos de la persona y, con un movimiento lento y regular, comience a describir círculos de unos cinco centímetros de diámetro, a la vez que continúa con la sugestión:

— *Siga con la mirada la punta de mi dedo índice...* Mírelo muy fijamente... El cansancio va a hacer mella en sus ojos... Sus párpados se harán pesados... Sus párpados se harán pesados... Sus párpados empiezan a pesar... Sus párpados son pesados... pesados... pesados... Sus párpados pesan y van a pesar cada vez más... Sus párpados son pesados... pesados... muy pesados... más y más pesados... Pesan... pesan más y más... Sus párpados son pesados... pesados... como si fueran de plomo... pesados como si fueran de plomo... *Siga mirando mi dedo,* que da vueltas, da vueltas... Le pican los ojos de tanto mirar... Nota una especie de niebla delante de los ojos... la niebla aumenta... la niebla se espesa... Sus ojos se van a cerrar... Sus ojos se cierran... se cierran... Ahora sus ojos se cierran completamente... Cuando yo diga «siete» sus ojos ya no podrán abrirse... Conforme vaya contando, sus párpados van a pesar cada vez más... Sus párpados son pesados, pesados...

5) Siempre trazando imaginarios círculos con el índice, empiece a contar:

— Uno... Sus párpados son cada vez más pesados... Dos... Sus párpados se cierran cada vez más... Tres... Su cabeza se adormece... su cabeza se adormece... Cuatro... El sueño le vence... No puede evitarlo... Cinco... Sus ojos están bien cerrados, bien cerrados... Seis... Ya sólo piensa en dormir... *Siete...* Se duerme...

6) Lo habitual es que al terminar esta fase la persona cierre los ojos. Si no es así, ha llegado el momento de que intervenga su magnetismo; debe recurrir a los pases longitudinales lentos (ver página 54), desde la cabeza a la boca del estómago, y continuar con la sugestión:

— Tiene sueño... tiene sueño... El sueño es más fuerte que usted... Se duerme profundamente... No puede evitarlo, el sueño le invade... Mis palabras lo adormecen aún más profundamente... cada segundo que pasa duerme más y más profundamente... Duerme... Duerme... Duerme profundamente... Sueño profundo, sueño muy profundo... Duerme... Duerme... Duerme...

7) Normalmente, a estas alturas la persona no tarda en inclinar la cabeza; en ese momento debe situarse detrás de ella para tomarle la cabeza entre las manos y ejercer una ligera presión sobre los ojos, apoyando suavemente sus dedos índices en ellos. A partir de ese momento, las sugestiones deben enunciarse rítmicamente, silabeando las palabras y empleando un timbre de voz grave:

— Usted duer-me... duer-me... está dor-mi-do... duer-me... con sueño profundo... Todo es... negro para usted... no oye... más que mi... voz... Duer-me...

8) Sitúese de nuevo delante de la persona. Durante unos tres minutos, describa con los pulgares dos arcos sobre las cejas de la persona, partiendo del centro de la frente, mientras dice:

— Tiene tanto sueño que, cuando yo diga «siete», caerá en un sueño profundo... Empiezo... Uno... La necesidad de dormir es muy grande... Dos... Lo invaden unas ganas irresistibles de dormir... Tres... Tiene sueño... Cuatro... Sueño, sueño... Cinco... Se cae de sueño... Seis... Duerme a más y mejor... *Siete...* Duerme, duerme... Duerme profundamente... Nada puede despertarle... Va a dormir aún mejor... Nada podrá despertarle... Duerme cada vez más profundamente...

9) Si es necesario, repita las frases dichas después de la palabra «Siete», pero si la persona da muestras de haber respondido bien, tome su muñeca derecha (izquierda, si se trata de un zurdo) y termine con la siguiente sugestión:

— Ahora está bien dormido, nada ni nadie podrá despertarle, excepto yo... Duerma, duerma profundamente...

Método del cráneo de cristal

En algunas ocasiones no es necesario que la persona contemple fijamente un punto o un objeto reales, sino que basta con que estos sean imaginarios; es el caso de este método, que sólo se puede aplicar a hombres y mujeres fácilmente hipnotizables.

Pida a la persona que se siente y cierre los ojos, luego apoye un dedo en su nuca y diga:

— Imagine que la parte superior de su cráneo es de cristal, y que, por tanto, puede ver a través de él... Si yo apoyo mi dedo sobre su cabeza usted puede verlo... Observe bien mi dedo... Y ahora vamos a imaginarnos que no puede abrir los ojos... Bien... No intente abrirlos y duerma... Duerma profundamente...

Método del brazo ligero

Erickson, uno de los más célebres especialistas modernos en hipnosis, sentó las bases de este método en 1923.

El procedimiento es el siguiente:

1) La persona debe permanecer cómodamente sentada en una silla, con las manos sobre los muslos.

2) Diga:

— Póngase cómodo y relájese... *Dedique toda su atención a sus manos...* Obsérvelas, y haciéndolo se dará cuenta de que éste es un ejercicio muy saludable, que le sienta muy bien. Piense únicamente en sus manos... Concéntrese en sus manos... En seguida notará que, durante su relajación, ocurren ciertas cosas. Esas cosas han ocurrido cada vez que se ha relajado, pero hasta ahora le habían pasado inadvertidas...

3) Deténgase un momento y prosiga:

— Concéntrese en todas las sensaciones que va a experimentar en sus manos, tanto en la izquierda como en la derecha... Tal vez sienta cierto peso en la mano que tiene sobre su muslo... Tal vez le parezca sentir una presión... Quizá llegue a apreciar el contacto de sus pantalones (de su falda) en la palma de la mano... o el calor de su mano en su muslo... Quiero que observe las sensaciones que experimenta... Quizá sienta usted una especie de comezón... Observe sus sensaciones, cualquiera que sea...

4) Permanezca en silencio un momento y después continúe:

— *Siga contemplando sus manos,* fijándose en su inmovilidad... Poco a poco empiezan a moverse, pero el movimiento es todavía imperceptible... Quiero que su mirada siga fija en sus manos... Es posible que se distraiga, pero su atención volverá a centrarse en sus manos. Mantenga los ojos fijos en ellas... Se pregunta cuándo se harán visibles los movimientos que ya siente en ellas... Su curiosidad aumenta, le gustaría saber lo que va a pasar... De hecho, las sensaciones que usted va a experimentar son tales que no importa dónde vaya a sentirlas... Va a sentir un ligero movimiento, un estremecimiento, en uno de los dedos o en la mano... Esté atento... Vigile sus manos... ¿Qué dedo se va a mover primero?... ¿El mayor?... ¿El índice?... ¿El anular?... ¿El meñique?... ¿El pulgar?... Uno de los dedos va a estremecerse o a moverse... No sabe exactamente cuándo... ni en qué mano... Sin duda, va a sentir ligeros movimientos en los dedos... Eso quizá suceda más rápido de lo que me imagino... Mire bien... Para empezar, va a notar un leve estremecimiento...

5) En este punto, normalmente, uno de los dedos de la persona empieza efectivamente a moverse; si no sucediera así, habría que repetir la sugestión a partir de la frase «Vigile sus manos», y continuar con lo siguiente:

— ¡Ya está! Su pulgar (o índice, anular, etc.) se estremece y se mueve... Y es muy probable que ese movimiento se acentúe... Cuando eso ocurra, notará algo muy curioso... El espacio comprendido entre los dedos va a ensancharse muy lentamente... Los dedos se separan muy lentamente, y los espacios se ensanchan más y más... Se van a separar lentamente... Sus dedos no pueden seguir juntos... Tienden a separarse... Se separan y su separación va a ser cada vez mayor... Una fuerza los separa... Una fuerza muy poderosa... Se separan... Sus dedos se separan cada vez más... cada vez más... cada vez más, exactamente así... Dentro de poco notará que sus dedos intentan levantarse... Y al hacerlo formarán un arco sobre sus muslos, como si quisieran elevarse más y más...

6) Si todo va bien, uno de los dedos de la persona se levanta o empieza a levantarse, lo que le permite seguir diciendo:

— Mire cómo su índice (o pulgar, meñique, etc.) se levanta... Los otros dedos intentan hacer lo mismo, mire cómo se levantan lentamente... A medida que sus dedos se levantan, experimenta una sensación de ligereza en toda la mano... Sus dedos siguen levantándose, y toda la mano va a levantarse y va a elevarse suavemente, ligera como una pluma... Su mano se va a elevar, como un globo que sube al espacio... sube... sube al espacio... al espacio... al espacio... Un globo que se eleva cada vez más alto... cada vez más alto...

7) Lo normal en este punto es que la mano de la persona empiece realmente a levantarse. Si es así, hay que continuar diciendo:

—Su mano se hace ligera, muy ligera... Sus dedos se levantan... Se levantan... Su mano es ligera... ligera... ligera... ligera como una pluma... como una pluma... cada vez más ligera... Su mano se levanta... se levanta... sube... sube... igual que un globo sube al espacio... al espacio... Su mano es ligera... También su brazo es ligero, muy ligero... Mire, su mano se levanta y su brazo sube, sube al espacio, un poco más alto, más alto, aún más alto, más...

8) La sugestión suele tener éxito y el brazo empieza a levantarse; eso permite continuar de la siguiente manera:

— *Mire, mire cómo se levantan la mano y el brazo...* Y a la vez empieza a sentir que sus ojos se fatigan, se vuelven somnolientos... A medida que su brazo se levanta, le invade una sensación de relajación y de fatiga, y siente cada vez más ganas de dormir... unas enormes ganas de dormir... Sus ojos se cansan y es posible que pronto sus párpados se cierren... Y mientras su brazo se eleva cada vez más, tiene mayor predisposición a relajarse... Va a tener cada vez más sueño y más deseos de experimentar una sensación de paz y de relajación cerrando los ojos y quedándose dormido... Su brazo se eleva, y eso es señal de que se está adormeciendo... Su brazo se eleva más y más, y usted se siente muy somnoliento... Sus párpados se hacen pesados, se respiración se torna lenta y regular... Respire profundamente, inspire y espire... Eso le relaja...

9) Si todo se desarrolla bien, en este momento la respiración de la persona se hace profunda y regular, y sus ojos empiezan a parpadear. Pero hay que continuar:

— *Mientras usted sigue mirando su mano y su brazo* y se siente cada vez más relajado y somnoliento, notará que la dirección de su mano va a cambiar... Su brazo se va a doblar y su mano se va a aproximar cada vez más a su rostro, más, más, más; a medida que se aproxima, va a caer, muy lentamente, en un sueño profundo, muy profundo, durante el cual se relajará totalmente... El brazo va a continuar subiendo hasta que alcance su rostro, y usted tendrá cada vez más sueño, pero no debe dormirse antes de que su mano toque su rostro... Cuando esto suceda se quedará dormido, profundamente dormido... Ahora, su mano cambia de dirección... Se eleva, se eleva hacia el rostro... Sus párpados pesan... Tiene cada vez más sueño, cada vez más sueño...

10) Constatando que la mano se acerca a la cara y los párpados pestañean más rápidamente, diga:

— Sus ojos pesan, pesan mucho, su mano se eleva hacia el rostro, y usted se siente muy fatigado y somnoliento... Sus ojos se cierran... se cierran... Cuando la mano alcance su rostro, se quedará dormido, profundamente dormido... Siente una gran somnolencia... Se siente cada vez más somnoliento... cada vez más somnoliento... cada vez más somnoliento... Tiene muchas ganas de dormir... Siente un gran cansancio... Sus párpados parecen de plomo y su mano se eleva, se eleva hacia su rostro... Y cuando lo toque, se quedará dormido...

11) Esta última fase está destinada a lograr que la mano alcance el rostro y los ojos se cierren. Se termina diciendo:

— Duerma, duerma, simplemente duerma... Mientras usted duerme, la relajación se va a apoderar de usted... Quiero que se concentre en la relajación, en un estado que carece de la más mínima tensión... No piense más que en dormir, en dormir profundamente...

LECCIÓN 7

HIPNOSIS MEDIANTE UN ELEMENTO DETERMINADO

Hasta ahora hemos descrito algunos métodos en los que la persona que va a ser hipnotizada debe contemplar tanto sus manos o las del hipnotizador, como un punto o un objeto concretos. En cuanto a los objetos, podía utilizarse un lápiz, una llave, o cualquier otra cosa.

A continuación vamos a enumerar algunos de los muchos métodos de hipnosis que exigen un elemento de apoyo muy específico: ese objeto puede ser una bola «hipnótica», o algún otro elemento determinado.

Método del cuadrado rojo

1) La persona que se va a hipnotizar debe estar cómodamente sentada en un sillón o tumbada sobre una cama.

2) Muéstrele una hoja de papel en blanco y dígale:

— Mire esta hoja. Es blanca, perfectamente blanca... Dentro de un momento se va a quedar dormido, y esto es tan cierto como que esta hoja es blanca... Esta hoja es blanca como la leche. Cójala, mírela más de cerca y podrá comprobar que es la misma blancura... Sin embargo, usted va a ver un cuadrado rojo en esta hoja... Cierre los ojos... Abralos... Eso le relaja... Ciérrelos...

3) En el momento que la persona cierre los ojos, sustituya rápidamente la hoja en blanco por otra exactamente igual pero con el dibujo de un cuadrado rojo. A continuación prosiga:

— Abra los ojos... ¿Ve? Hay un cuadrado rojo... Ahora relaje todos sus músculos, piense en descansar... Eso es, descanse, abandónese... Se sentirá muy bien... Sentirá cómo le vence el sueño... Ya está empezando a sentirlo... Una sensación de embotamiento le invade... No puede seguir con los ojos abiertos... Sus ojos se cierran... Abandónese al sueño... Encuentra en ello una sensación muy agradable, muy agradable... Tiene sueño, mucho sueño... Se va a quedar dormido... Duer-ma... Duer-ma... Ya está dormido... Duerme...

Las últimas sugestiones deben repetirse tantas veces como sea necesario.

Método del agua azul

1) Pida a la persona que se siente cómodamente en un sillón, o que se tumbe, y que se relaje.

2) Invítela a mirar fijamente una botella transparente llena de agua teñida de azul, que usted ha colocado previamente sobre un mueble, y comience con las instrucciones:

— A partir de este momento repita mentalmente, sin detenerse, la siguiente frase: «Me duermo, me duermo profundamente, estoy dormido» y siga mirando fijamente la botella, hasta que sus ojos se cierren...

3) Mientras la persona pone en práctica sus consignas, ejecute una serie de pases longitudinales lentos (ver página 54).

Método del perfume

1) La persona debe sentarse cómodamente y relajarse.

2) Acérquele un frasco de perfume y diga:

— Cierre los ojos... Está esperando que el sueño le venza... Pero no va a tardar en suceder... Porque, al aspirar este delicioso perfume, usted atrae el sueño... Este perfume hace que el sueño llegue hasta usted... Aspire este perfume, aspírelo profundamente... Gracias a este perfume, le va a invadir un sueño agradable... Sus párpados se hacen pesados... Nota un peso sobre los brazos y las piernas, pero es una sensación confusa e indeterminada... La pesadez se apodera de sus brazos y sus piernas... Usted tiene sueño... Le pesa la cabeza... Este perfume adormece... Este perfume adormece y usted se duerme agradablemente... El perfume le duerme... El perfume le duerme... El perfume le duerme... Huele bien... Le tranquiliza... Le adormece...

Método del reloj de arena

1) Invite a la persona a instalarse cómodamente en un sillón.

2) Pídale que no pierda de vista el reloj de arena que sostiene en la mano o que ha colocado sobre un mueble, y al que acaba de dar la vuelta.

3) Inicie la sugestión:

— Muy pronto, el sueño le va a vencer... A medida que los granos de arena caen, una dulce fatiga se apodera de sus ojos... Cada grano de arena que cae significa que sus ojos se fatigan más y más... Sus párpados empiezan a pesar... Observe cómo caen regularmente los granos de arena, con la misma regularidad de sus párpados al cerrarse... Su mirada se fatiga... se fatiga... Sus párpados se hacen pesados... cada vez más pesados... Le resulta cada vez más difícil mantener los ojos abiertos... Con la misma rapidez que se rellena la parte inferior del reloj, se va apoderando de usted el sueño... Sus párpados pesan, pesan, y el sueño le vence... El sueño se está apoderando de usted por completo... A medida que se va vaciando la parte superior del reloj le cuesta más mantener los ojos abiertos... Sus ojos están cansados, muy cansados... Tiene ganas de dormir... Sus párpados son insoportablemente pesados y usted tiene ganas de dormir, sólo quiere dormir... Ya no puede mantener los ojos abiertos... Sus ojos se cierran, se cierran... El sueño se apodera de usted... el sueño se apodera de usted... Duerme, duerme... Los granos de arena han caído todos y usted duerme profundamente... duerme profundamente...

Método de la luz intermitente

Más sofisticado que los anteriores, este método requiere la utilización de una lámpara de por lo menos 150 vatios, conectada a un intermitente que, cada dos o tres segundos, corte el circuito y lo restablezca a un ritmo similar. Es preferible colocar la lámpara en un reflector, de modo que envíe la luz en una sola dirección, igual que un proyector.

El procedimiento es el siguiente:

1) Pida a la persona que se instale cómodamente en un sillón, frente a la luz intermitente, y que se relaje. Si es de día, es preferible bajar las persianas o correr las cortinas.

2) Cuando le haya indicado que debe mirar la luz fijamente y sin interrupción, accione el intermitente.

3) Después de cinco minutos de silencio, diga:

— Dentro de algunos instantes se va a producir un fenómeno natural: algunas modificaciones visuales van a provocar cambios que afectarán a su conciencia... Usted se sentirá completamente absorbido por esta luz intermitente... De hecho, esta luz le está atrayendo irresistiblemente... Todos sus pensamientos se dirigen hacia ella... Ahora no le interesa nada más... Sus preocupaciones están lejos... Sus preocupaciones le parecen ridículas, sin ninguna importancia... Se siente lejos de todo eso, muy lejos de todos sus problemas... la luz intermitente ejerce una influencia beneficiosa sobre usted... Le libera de todas sus preocupaciones... Le ayuda a vaciar su mente todas los problemas... Lo único que cuenta es esta luz... Esta luz le absorbe completamente... Como por encanto, deja de pensar en sus preocupaciones... Poco a poco, su estado de conciencia va disminuyendo... Usted está hipnotizado... La contemplación de la luz intermitente le absorbe completamente... Su atención se aleja definitivamente de sus preocupaciones... Se producen importantes modificaciones en el umbral de su conciencia... Una enorme fatiga se apodera de usted... Todavía no está dormido, pero tampoco está despierto... Sus facultades conscientes pierden su agudeza... La angustia y la irritabilidad desaparecen... Sus crispaciones se atenúan... Ya no le dominan las obsesiones... Su resistencia cede... Todo su cuerpo se adormece... Usted ya no es el mismo... No puede evitarlo, se deja vencer por el sueño... Duerme... duerme...

Método del metrónomo

1) La persona debe tumbarse cómodamente y relajar sus músculos.

2) Una vez que la habitación se haya quedado a oscuras, accione el metrónomo, que previamente debe haber sido regulado a un ritmo de sesenta golpes por minuto. Al cabo de unos diez minutos, comience a hablar:

— Cierre los ojos, no piense en nada... Déjese llevar por el ritmo del metrónomo... Déjese llevar por los golpes del metrónomo... Déjese acunar por el metrónomo... Imagínese que flota, como una barca sobre el agua tranquila, como una barca sobre el agua tranquila... Déjese llevar, como un corcho que flota sobre el agua... como un corcho que flota sobre el agua... Su respiración es tranquila y regular... Su corazón late pausadamente... regularmente... Y usted se deja llevar... Se abandona, como el corcho sobre el agua... Va a empezar a notar la relajación... Con cada movimiento del metrónomo, usted se sentirá más y más relajado... Más y más relajado... Distienda los músculos de la frente, distienda los músculos de la frente, distienda los músculos de la frente... Distienda los músculos de la cara... Distienda los músculos de los brazos... Relájese... Distienda los músculos de los brazos... distienda los músculos de los brazos... Distienda los músculos de las piernas... Relájese... Conforme pasa el tiempo se sentirá más y más relajado... Cada segundo se sentirá más y más relajado... Se está relajando, casi sin darse cuenta... Poco a poco se relaja... Empieza a relajarse... Está relajándose... Está relajándose...

3) Descanse un momento y prosiga:

— Está relajándose... Con cada sonido del metrónomo se sentirá más y más relajado... Los músculos de su frente se distienden... Los músculos de la cara se distienden... Sus hombros, sus brazos, sus manos, sus piernas, sus pies se distienden... Nervios y músculos se relajan... Goza de una relajación general... Usted se relaja... se relaja... se relaja... La relajación se ha adueñado de usted... Se encuentra muy tranquilo... muy tranquilo... Nunca lo ha estado tanto... Las ideas se difuminan... No piensa en nada... absolutamente en nada... El vacío se ha instalado en su interior... Los brazos y las piernas están inmóviles, los brazos y las piernas están inmóviles... No ve nada... No siente nada... No ve más... Tiene la impresión de que le envuelve un velo... Una niebla le rodea... La niebla aumenta... se espesa... Todo está tranquilo... A su alrededor, todo está tranquilo... Nada le molesta... Nada le perturba... Nada le inquieta... Nada le molesta, nada le perturba, nada le inquieta... Como un corcho sobre el agua... Está maravillosamente relajado... Poco a poco se adormecerá... Se adormecerá más y más... Ahora se encuentra muy tranquilo... Se relaja, se despreocupa de todo... Se va a dormir... Está muy tranquilo...

4) Permanezca un momento en silencio, antes de decir:

— Escuche mi voz... Mientras usted escucha mi voz, va a empezar a sentir que su cuerpo pesa... Le invade una agradable sensación de pesadez... Una deliciosa pesadez se apodera de su cuerpo... Pero usted sigue oyendo mi voz y el sonido rítmico del metrónomo... Sus brazos son pesados... pesados... pesados... Todo su cuerpo es pesado... Y le invade un calor agradable... Tiene la impresión de que la sangre que circula por sus venas se calienta... Se encuentra bien, muy bien... maravillosamente relajado... Todo su cuerpo siente un agradable entumecimiento... todo su cuerpo siente un agradable entumecimiento... Su cuerpo es pesado, pesado, pesado... Sus párpados también se hacen pesados... son pesados, pesados, pesados... cada vez más pesados... Ya no puede abrir los ojos... La somnolencia le vence... Tiene ganas de dormir... Duerme... Duerme profundamente... cada vez más profundamente...

5) Para terminar, diga, o, si es necesario, repita varias veces, la siguiente fórmula:

— Siente unas ganas irresistibles de dormir. Cada vez duerme más... Usted duerme... duerme... Nada le va a impedir dormir... Al contrario, una fuerza le impulsa a hacerlo... Usted duerme... Sus brazos y sus piernas están inmóviles... No ve nada, no siente nada... No piensa en nada... absolutamente en nada... Sólo oye mi voz... mi voz que le calma y le adormece... Su sistema nervioso se sosiega, se adormece... Sus párpados pesan, son sumamente pesados... Usted duerme... duerme...

Método del metrónomo, con cuenta

1) Indique a la persona que debe tumbarse cómodamente.

2) Accione el metrónomo, siempre regulado en sesenta golpes por minuto, e invite a la persona a escuchar cada golpe, con los ojos cerrados y pensando en el sueño.

3) Comience a hablar al cabo de diez minutos:

— Siga con los ojos cerrados, piense en el sueño, no piense en nada más... Respire tranquilamente, regularmente, profundamente... Nada le molesta... nada le perturba... nada le inquieta... Todo es calma a su alrededor, todo es tranquilidad... Solamente oye los golpes del metrónomo... y mi voz... Mi voz que le calma y le adormece... Usted oye mi voz, mi voz... Su respiración se hace más tranquila, más profunda, como cuando duerme... A medida que respira, se siente más sosegado... Su respiración es pausada y regular... El ejercicio de la respiración le absorbe completamente... Dentro de poco empezaré a contar... Y, a medida que diga un número al mismo tiempo que suena el metrónomo, le irá invadiendo la somnolencia... Sus miembros se adormecen... Una pesadez agradable se apodera de su cuerpo... Su cuerpo se relaja... Se hace pesado... pesado, como si estuviera lleno de plomo...

4) Deténgase un momento y continúe:

— Cuento: uno... un calor agradable recorre sus venas... Dos... Usted se encuentra muy tranquilo... Se relaja y se despreocupa de todo... Se va a dormir... Tres... Tiene la impresión de que la niebla le rodea... La niebla aumenta, se espesa... Cuatro... Todo es negro a su alrededor... Todo es obscuridad... Cinco... La somnolencia es ahora mayor... Seis... A su alrededor aumenta la calma... A su alrededor aumenta la obscuridad... Mi voz lo calma... mi voz le adormece... Siete... Usted se duerme... se duerme profundamente... Su corazón late más regularmente... Ocho... Es el sueño... Nueve... Siente una somnolencia irresistible... Unas ganas inmensas... irresistibles... de dormir... Diez... Pierde la conciencia... cada vez más profundamente... Gracias a un sueño profundo, tranquilo, placentero... pierde poco a poco la conciencia de su estado... Once... Ningún ruido le molesta... Unicamente oye mi voz y el golpe del metrónomo... Doce... Duerme profundamente, todavía más profundamente... Trece... Duerme... duerme... Catorce... Cada palabra que pronuncio, cada golpe del metrónomo, contribuyen a que se duerma más profundamente... aún más profundamente... Quince... Se va a dormir... Nada podrá impedírselo... Se va a dormir... Dieciséis... Cada vez duerme mejor.

Abordaremos a continuación el uso de la llamada BOLA HIPNÓTICA. Se trata de una bola de cristal, exactamente igual a la que se utiliza con fines adivinatorios. Si desea emplearla para hipnotizar, es preciso empezar sensibilizando, inmediatamente antes de la intervención, a la persona que será sometida a la hipnosis.

Sensibilidad a la bola - Técnica n.º 1

1) La persona debe permanecer de pie, con los pies juntos y los brazos caídos a lo largo del cuerpo.

2) Con tono firme y seguro, diga:

— Mire esta bola. Dentro de un momento va a sentirse empujado hacia atrás. Mire fijamente esta bola hipnótica; en seguida se sentirá empujado hacia atrás y no podrá oponer resistencia... Ya está, al mirar fijamente a la bola comienza a sentirse empujado hacia atrás...

3) Adelante muy lentamente la bola hacia la persona, como si quisiera obligarla a retroceder, y a medida que se la acerca a los ojos siga diciendo:

— Se siente empujado hacia atrás... Se siente empujado hacia atrás... Cae hacia atrás... Cae de espaldas...

4) Cuando la persona comienza a caer hacia atrás sujétela y diga:

— Como ve, basta con que mire fijamente esta bola para que inevitablemente caiga hacia atrás.

Señalamos que, con ciertas personas particularmente sensibles a la hipnosis, ni siquiera es necesario adelantar la bola; esas personas suelen perder el equilibrio al terminar la segunda fase del test.

Sensibilidad a la bola - Técnica n.º 2

1) La persona puede permanecer de pie, sentada o tumbada, pero siempre con las manos abiertas y las palmas hacia arriba, concentrada la mirada en la bola que usted sostiene en su mano izquierda.

2) Diga:

— Piense que sus manos se van a cerrar. Al mirar fijamente esta bola, va a sentir que sus manos se cierran... Antes de que eso suceda, y como anuncio de que sus manos se van a cerrar, notará pequeñas sacudidas... Sus manos se contraerán, sus manos se cerrarán... En efecto, esos movimientos apenas perceptibles empiezan a animar sus dedos... Movimientos que se intensifican cada vez más... Usted comienza a sentir que sus dedos se agitan... Sus dedos se agitan... Sus manos no van a tardar en cerrarse... Sus manos están a punto de cerrarse... Ya está... Sus manos se cierran y se van a cerrar cada vez más fuerte... Poco a poco, sus manos se cierran... Ahora, sus manos se cierran más rápidamente... Una fuerza las cierra... una fuerza las cierra... Imposible tenerlas abiertas... Sus manos se cierran... sus manos se cierran... Sus manos ya no pueden estar abiertas... Sus manos se cierran, se cierran, siguen cerrándose... más... más... Es imposible resistirse... Sus manos se cierran completamente... Por mucho que lo intente, no puede abrirlas... Sus manos se cierran... No se abrirán hasta que yo dé término a la influencia de la bola... Siente la fuerza que cierra sus manos... Sus manos siguen cerrándose... Sus manos se cierran, se cierran... Sus manos se cierran y van a seguir cerrándose...

Método de la bola n.º 1

Una vez que ha comprobado la eficacia de la bola gracias a las técnicas que acabamos de describir, puede alcanzar una hipnosis inmediata, si se encuentra en presencia de una persona fácilmente hipnotizable, mediante el método que revelamos a continuación:

1) Pida a la persona que se instale cómodamente en un sillón o que se tumbe.

2) Simule que «magnetiza» la bola, ejecutando sobre ella, de forma ostentosa, un simulacro de pases cualquiera.

3) Ejerza la fascinación visual clavando la vista en un punto entre los ojos de la persona.

4) Comience con la sugestión:

— Dentro de un momento, cuando coja esta bola, caerá en un sueño profundo. Al coger esta bola sentirá que el sueño le invade; eso sucederá porque la bola está magnetizada y tiene el poder real de hacerle dormir.

5) Continúe ejerciendo la fascinación visual, ejecute otros pases sobre la bola y después entréguela a la persona, diciendo:

— Ahora, coja esta bola con la mano derecha (izquierda para los zurdos). Apriétela. Apriétela fuerte y caerá en un sueño profundo... Dormirá profundamente...

Método de la bola n.º 2

Una vez que se han llevado a cabo las técnicas de sensibilidad n.º 1 y n.º 2, si la persona sólo está hipnotizada a medias, se puede recurrir a un método en el que el magnetismo no sólo interviene, sino que desempeña un papel muy importante.

El procedimiento es el siguiente:

1) La persona debe encontrarse confortablemente sentada.

2) Indíquele que tiene que mirar fijamente la bola que usted desplaza lentamente, delante de sus ojos, en sentido horizontal, de izquierda a derecha y de derecha a izquierda.

3) Emplee un tono autoritario en la siguiente sugestión:

— Le recomiendo que no quite los ojos de esta bola; usted mismo acaba de comprobar los efectos que produce. Esta bola que está mirando tan fijamente le va a adormecer. Tranquilícese, no corre ningún riesgo. Siga su lento vaivén y no tardará en sentir que el sueño le invade... Al mirar fijamente esta bola, va a experimentar una sensación extraña: una enorme fatiga, una agradable pesadez se van a apoderar de su cuerpo... un entumecimiento generalizado se adueñará de usted... y no le será posible moverse... Ahora sus párpados empiezan a pesar... Sus párpados se hacen pesados... Sus párpados son pesados y se hacen cada vez más pesados... Le resulta difícil conservar los ojos abiertos... muy difícil... No se enfrente al deseo de bajar los párpados... Deje que se cierren... Sus párpados se van a cerrar... Sus párpados quieren cerrarse... No puede evitarlo, es imposible conservar los ojos abiertos... Sus ojos están cansados... muy cansados... Deje que sus párpados se cierren... Relaje los ojos... Su vista se enturbia... Deje caer los párpados... Sus ojos se cierran... sus ojos se cierran completamente... Su cabeza pesa, pesa mucho... Tiene sueño, sueño, sueño...

4) Deje la bola y ponga las manos a cada lado de la cabeza de la persona. Después pase lentamente los pulgares del cabello a las cejas, apoyándolos ligeramente al bajar y evitando el contacto al subirlos. Emplee en esta operación unos cinco minutos, y continúe a la vez con la sugestión:

— Una irreprimible necesidad de dormir le invade... No oponga resistencia, abandónese... No permanezca en guardia... Si tiene sueño, duerma profundamente... Sus ojos están cerrados y usted duerme... Sus brazos y sus piernas están inmóviles... Le resulta imposible moverse... completamente imposible... Una extraña sensación de indiferencia y abandono le embarga... Se siente extraño... Tiene la impresión de que su cabeza está vacía, y sin embargo le pesa... Sus miembros están adormecidos... Ahora, se duerme...

5) Sitúese detrás de la persona y rócele la frente con las dos manos, desde el medio hasta las sienes, durante unos cuatro minutos, a la vez que dice:

— Sus ojos están cerrados... Usted duerme... Sus miembros están adormecidos... Usted duerme... Le resulta imposible pensar... Usted duerme... Sólo oye mi voz... Usted duerme... El sueño le vence, cada vez más profundamente... Usted duerme...

6) Sitúese de nuevo delante de la persona y ejecute durante cinco minutos una serie de pases magnéticos; para hacer un pase hay que cerrar los puños, como si se tuviera en ellos un puñado de sal, alzarlos a la altura de la cabeza de la persona, abrirlos bruscamente haciendo el ademán de tirar la sal, y después bajar lentamente las manos abiertas a la altura del estómago, todo ello repitiendo incesantemente las siguientes sugestiones:

— Duerme... duerme profundamente... Está dormido... Está profundamente dormido...

⁂

Otro de los objetos que se puede emplear para hipnotizar es una *bola especial,* mitad roja y mitad azul. Su uso exige «engañar» inocentemente a la persona que se va a hipnotizar.

Método de la bola de dos colores

1) Proceda como si se tratara de la bola hipnótica clásica, siguiendo las consignas del *Método de la bola n.º 1* o del *Método de la bola n.º 2,* pero escondiendo la parte roja e indicando a la persona que debe fijar la mirada en la azul.

2) Si el sueño hipnótico tarda en producirse, manifieste lo siguiente:

— Cuando empiece a entrarle sueño, le parecerá que el color de la bola cambia... Mire bien... Va a cambiar de color... La bola cambia de color...

Haga girar la bola rápidamente y acérquela a los ojos de la persona; aproveche ese momento para darle la vuelta y mostrar la parte roja, y con ese pequeño engaño ya puede afirmar:

— ¿Ve? El color de la bola ha cambiado. Eso demuestra que usted tiene sueño, mucho sueño... Duerma... duer-ma... duerma... Está dormido... Duerme...

Para terminar con la revisión de los métodos hipnóticos que precisan elementos de apoyo, es preciso aludir, aunque sólo sea con fines informativos, a un accesorio que emplean a menudo los hipnotizadores teatrales, y que también se utiliza en hipnoterapia; se trata de un espejo giratorio similar al que utilizan los cazadores. Su contemplación prolongada (unos veinte minutos) produce indefectiblemente un cansancio visual tan grande que el sujeto que se va a hipnotizar no puede oponer ninguna resistencia, y, con la ayuda de la sugestión visual, cae en el más dulce de los sueños hipnóticos.

LECCIÓN 8

HIPNOSIS POR PROCEDIMIENTOS DIVERSOS

La hipnosis se puede alcanzar mediante procedimientos que clasificamos en un grupo separado, en los que intervienen tanto el magnetismo como la sugestión verbal (o los dos a la vez), y, por supuesto, la fascinación visual.

Éstos son algunos ejemplos:

Método del ocho

1) La persona que se va a hipnotizar debe instarse cómodamente y tiene que permanecer con los ojos cerrados.

2) Diga:

— Dibuje mentalmente el número 8, sin interrupción... Trace mentalmente ochos y no piense en nada más.

3) Apoye las manos en la frente de la persona durante unos dos minutos; después, recorra su rostro lentamente, y a continuación sus hombros y sus brazos. Cuando llegue a las muñecas, manténgalas agarradas unos dos minutos.

4) Ponga la mano derecha (izquierda si es zurdo) sobre la frente de la persona y la otra mano sobre la nuca, y permanezca diez minutos en esa posición.

5) Durante unos treinta minutos, ejecute pases longitudinales muy lentos (ver página 54), desde la cabeza hasta el ombligo, interrumpiéndose de vez en cuando para describir círculos en el aire con la mano derecha (izquierda si es zurdo).

Si la experiencia no tuviera éxito, habría que repetirla al día siguiente.

Método instantáneo n.º 1

1) Sitúese frente a la persona e invítela a permanecer de pie, con los talones juntos y los brazos caídos.

2) Coja su mano derecha y pídale que cierre los ojos.

3) Alce su brazo derecho y manténgalo rígido mediante una ligera presión.

4) Coloque su pie izquierdo detrás del pie derecho de la persona y sugiera la caída hacia atrás (ver la prueba de la página 25), mientras retoma su mano derecha.

5) Cuando la persona empieza a caer, tire de su mano derecha hacia usted, y diga:

— Ahora se va a dormir profundamente... Dentro de un segundo le pediré que abra los ojos y que se siente en la silla que le indique. Una vez que lo haya hecho, sus ojos se volverán a cerrar y usted se hundirá en un sueño todavía más profundo... Ya está. Abra los ojos y siéntese en esta silla.

Existe otra posibilidad para hacer más eficaz el método: teniendo a mano una silla, en lugar de ordenar a la persona que abra los ojos y se siente, hágale la siguiente sugestión:

— Duerme profundamente... Ya está dormido... Tiene ganas de sentarse... Sus piernas se ablandan, se ablandan cada vez más... Y tan pronto como se siente, se dormirá todavía más profundamente...

Suavemente, ayúdela a sentarse y continúe sugiriendo la llegada del sueño, tantas veces como sea necesario.

Método instantáneo n.º 2

1) Haga sentar a la persona en un banco o una silla sin respaldo, con los pies bien apoyados en el suelo.

2) Coja su mano derecha y pregúntele:

— ¿Está listo?

3) Si la persona responde afirmativamente, ordénele:

— Cierre los ojos.

4) Levante su brazo derecho, e incítela a inclinarse hacia atrás, a la vez que sugiere:

— se está cayendo hacia atrás, hacia atrás, hacia atrás...

5) Tire repentinamente de su brazo derecho hacia usted, y sugiérale:

— Usted duerme... Duerme... duerme profundamente...

Método instantáneo n.º 3

1) Haga que la persona se instale cómodamente, pídale que entrelace sus manos y después diga:

— Cierre los ojos... Mientras yo cuento hasta tres, imagine que no puede separar las manos... Uno... Sus manos están unidas... Dos... Sus manos están entrelazadas... Están estrechamente entrelazadas... no las puede separar... Es inútil intentarlo. Sus manos están apretadas y usted duerme, duerme cada vez más profundamente...

Método semi-rápido

Se trata de una técnica elaborada por el hipnoterapeuta Ellman, que consiste en lo siguiente:

1) Coja la mano de la persona y explíquele lo que va a hacer:

— Su hipnosis se va a producir de manera sumamente simple. Bastará con que yo apriete su mano tres veces.

2) En un tono muy sugestivo, afirme:

— La primera vez sentirá que sus párpados se hacen pesados, y dejará que esa sensación aumente... En el segundo apretón tendrá ganas de cerrar los ojos y dejará que se cierren... En el tercer apretón sus ojos estarán completamente cerrados y los músculos que los rodean perfectamente distendidos... y no tendrá deseos de volver a abrirlos.

3) Apriete la mano tres veces, con intervalos de algunos segundos, dependiendo de la reacción de las personas, y, cuando se cierren los ojos, diga:

— Relaje los músculos que rodean sus ojos... Actúe como si no pudiera abrir los ojos, como si todos los músculos que los rodean estuvieran cansados, distendidos... Ahora va a comprobar hasta qué punto le resulta imposible abrir los ojos... Va a tratar de abrirlos y al hacerlo comprobará que cuanto más lo intenta, más cerrados están y más pesan sus párpados... No siga intentándolo... Ahora, la relajación de sus ojos se va a extender de pronto a todo su cuerpo, hasta la punta de los pies... Ya está, todo su cuerpo se relaja...

Método de las manos que se entrelazan progresivamente

1) Pida a quien se vaya a hipnotizar que se instale cómodamente.

2) Dígale:

— Ahora, todo lo que quiero es que usted cierre los ojos y que una sus manos...

3) Si se ha cumplido debidamente la consigna, prosiga:

— Ahora voy a contar hasta tres, y mientras yo cuento, usted va a apretar las manos cada vez más, simulando que ya no puede separarlas. Y, cuando llegue a «tres», como usted estará perfectamente concentrado en sus manos, no podrá ya separar la una de la otra... A partir de ese momento, y como ya habrá alcanzado la máxima concentración, estará en condiciones de relajarse bien. Cuando llegue a ese punto, le enseñaré cómo relajarse profundamente.

4) Asegúrese de que no hay ninguna duda, y tome de nuevo la palabra:

— Continúe con los ojos cerrados y concéntrese... Piense simplemente que no puede separar una mano de la otra y, a medida que yo cuento hasta tres, sentirá cómo cada vez están más juntas, más apretadas... Uno... más juntas y más apretadas... Dos... todavía más juntas y más apretadas... más apretadas y más juntas... *Tres*... todavía más juntas y más apretadas... Ahora las siente como si estuvieran pegadas... Sus manos están completamente entrelazadas... no puede separarlas... No trate de hacerlo... No siga intentando separarlas y relájese...

5) Deténgase un momento y continúe:

— Respire profundamente... Inspire... espire... Inspire... espire... Cada inspiración y cada espiración le empujan hacia un profundo estado de relajación, un estado muy agradable...

6) Después de un silencio de algunos segundos, diga:

— Está relajándose y los músculos en torno a sus ojos están perfectamente distendidos. No puede abrir los ojos, no lo intente, relájese cada vez más profundamente...

7) Haga una pausa y aborde la fase final:

— Ahora voy a enseñarle cómo relajarse todavía más... Voy a contar hacia atrás, de tres a uno, y mientras yo cuento usted va a sentir sus manos más sueltas y más libres... Cuando llegue a «uno» podrá separar sus manos, pero no se despertará... Al contrario, se relajará cada vez más... Y se encontrará bien, muy, muy bien... Tres... Sus dedos están más sueltos y más libres... Dos... Sus manos están más sueltas y más libres... Uno... Usted puede separar las manos y relajarse cada vez más... Mientras sus ojos permanezcan cerrados, nada le podrá molestar, nada le podrá perturbar, se va a relajar cada vez más... Se relajará cada vez más...

⁂

Los métodos reunidos en este capítulo, que son a la vez simples y rápidos, sólo pueden lograr un éxito inmediato con personas muy fácilmente hipnotizables. Además, el hipnotizador debe estar muy seguro de sí mismo y a la altura de las circunstancias.

LECCIÓN 9

PROFUNDIZACIÓN DEL SUEÑO HIPNÓTICO

La inducción al sueño hipnótico, a través de cualquiera de las técnicas descritas en los capítulos precedentes, constituye sólo una parte de la hipnosis, la que permite llegar a la fase más importante y constructiva del proceso hipnótico, en la que el hipnotizador comunica las sugestiones (instrucciones) destinadas a combatir un mal determinado (asma, hipertensión, tabaquismo, impotencia, insomnio, etc.). Y para que se cumplan las condiciones ideales exigidas por esta fase, a veces es necesario hacer más profundo el sueño hipnótico, empleando métodos particulares, como los que describimos a continuación.

Método de la hipersensibilidad

El hipnotizador sugiere:

— Dentro de poco notará su mejilla izquierda extremadamente sensible... En el estado en que se encuentra, esa sensibilidad sólo puede aumentar... Su mejilla será sensible, cada vez más sensible... Sentirá vivamente cualquier contacto... La menor presión le parecerá dolorosa... Sentirá agudamente el más ligero de los contactos... La sensibilidad de su mejilla izquierda aumenta... Aumenta notoriamente... Cuando la toque usted sentirá un dolor muy vivo... Dentro de un instante, el más ligero roce sobre su mejilla izquierda le hará daño, le sobresaltará... Voy a rozar su mejilla izquierda y usted lo va a notar porque ese roce le hará daño... Ya está, usted ya no puede soportar el menor contacto en su mejilla...

Método de la comezón

El hipnotizador dibuja con su índice un círculo sobre cualquier parte del cuerpo de la persona hipnotizada y después le dice:

— Muy pronto, en la zona comprendida dentro de este círculo, usted sentirá una comezón... A partir de este momento ya empieza a sentir que le pica... Siente un picor en el lugar que yo toco... Le pica... Le pica cada vez más... Y le pica hasta el punto de hacerle daño... Dentro de un momento, esa parte de su piel le va a picar todavía más, le va a arder, se pondrá roja y le dolerá cada vez más... Esa parte de su cuerpo es excepcionalmente sensible... Le pica... Está enrojecida... Le pica... Se tiene que rascar... Le hace daño... La zona que yo toco presenta una gran sensibilidad... Le duele cada vez que le rozo...

Puede ir más lejos y extender la impresión de comezón a una parte más o menos grande del cuerpo, sugiriendo, por ejemplo:

— Va a sentir un picor... Pronto será presa de un picor insoportable... No podrá evitar rascarse... Ya está, ya comienza a sentirla... En los brazos, desde los hombros hasta los puños, siente una comezón cada vez mayor... Siente la piel como un fuego... Le pica... Tiene unas ganas irresistibles de rascarse... No puede evitar rascarse... Siente una comezón en todo el brazo... Y aumenta... sigue aumentando...

Algunos hipnoterapeutas optan por una versión más breve, conformándose con sugerir:

— Usted está cubierto de pulgas... Completamente cubierto de pulgas... Las pulgas le pican... le pican...

Y eso puede bastar para que la persona hipnotizada se agite con frenesí y empiece a rascarse furiosamente.

Método de la respuesta oral

1) Después de haber comprobado que se ha producido el sueño hipnótico, el hipnotizador dice:

— Se encuentra bien, muy bien... Está relajado, muy tranquilo, duerme... El sueño se ha apoderado de usted y, sin embargo, va a ser capaz de hablar... Siga durmiendo profundamente, eso no va a impedir que me hable... Va a contestar a mis preguntas sin despertarse... Muchas personas hablan dormidas y también usted me hablará mientras duerme... No se despierte... Me oye... Me oye muy bien... Y del mismo modo que puede oír lo que digo, puede hablarme, contestarme... Sin despertarse, es capaz de hablarme... Usted habla... Usted habla mientras duerme... Nada le molesta, se siente muy bien y puede hablar... ¿Me oye? Contésteme... Incluso durmiendo puede contestarme... ¿Me oye?

2) Al cabo de un momento, y en caso de no haber obtenido respuesta, se prosigue:

— Puede hablar... Nada se lo impide... Su garganta, su lengua y su boca están en condiciones de hacerlo... Puede hablar sin inconvenientes... Está hablando mientras duerme...

3) Si la persona permanece en silencio, el hipnoterapeuta debe insistir:

— Usted me puede hablar... Contésteme... ¿Me oye?...

4) Cuando, a pesar de la repetición, las sugestiones tardan en llevarse a cabo, el hipnotizador puede tirar muy suavemente las orejas de la persona hipnotizada, diciéndole:

— Usted me oye... Oye mi voz... Me oye muy bien y puede contestarme... Vamos, contésteme... ¿Me escucha?... Conteste... Puede contestarme... ¿Me escucha?...

Método de la amnesia

El hipnoterapeuta comienza con la siguiente sugestión:

— ...Dentro de un momento será incapaz de recordar el orden de los números... Dentro de un momento ya no sabrá contar... Le será imposible contar correctamente... Su mente comienza a confundirse... Todo se confunde en su mente... todo se confunde en su mente... Le resulta difícil contar... Ya no sabe contar... Sí, usted ya no sabe contar... ya no puede contar... Imposible contar... Algo se lo impide, no le sale bien... De repente, sus ideas se trastornan... Se pregunta qué le está pasando... Intente contar... Ya no sabe hacerlo... Contar le resulta imposible, imposible... Es incapaz de contar correctamente... Se le mezcla todo... Ya no recuerda el orden de los números... No se acuerda en absoluto... Cuanto más intenta recordarlo, más confuso le parece todo... Por mucho que se esfuerza, le resulta imposible contar correctamente... Intente contar hasta veinte... No sabe...

Algunos hipnoterapeutas, en lugar de referir la sugestión a los números, utilizan el método de las letras del alfabeto. En este caso, del mismo modo que la persona hipnotizada no puede enumerar en el orden normal, es incapaz de recordar o de pronunciar una letra; ambos métodos permiten conducirla poco a poco a una amnesia completa, una situación en la que ya no pueda recordar datos personales como su nombre, su apellido, o la fecha y lugar de nacimiento.

Ya se trate de números o de letras del alfabeto, la experiencia concluye siempre con la siguiente sugestión:

— ...Todo ha pasado... Se encuentra muy bien... Esta experiencia, que ha realizado perfectamente, aumenta la profundidad de su relajación y fortalece su salud y su memoria... Después de este paréntesis de olvido, su memoria está descansada, mejorada... Como ha podido comprobar, acaba de pasar por una fase de olvido total... Le he despojado temporalmente de su memoria para poder devolvérsela de inmediato fortalecida... Ahora la ha recuperado... Su memoria es excelente... Todo es claro y neto en su mente... Tiene buena memoria... Recuerda las cosas mejor que antes de la experiencia... mucho mejor... Su memoria es buena... muy buena...

Método del letargo

Se dirigen las siguientes sugestiones a la persona que acaba de ser dormida mediante hipnosis:

— Usted duerme profundamente... Apenas oye mi voz... Me oye cada vez menos... Su cabeza está embotada... Imposible hacer el menor movimiento... Su sueño se hace cada vez más profundo... Cuando yo cuente hasta tres, no me oirá más... No sentirá mi presencia ni me podrá oir hasta que ponga mi mano sobre su cabeza... Cuando diga tres me oirá... Pondré mi mano sobre su cabeza para que pueda volver a oir... Cada segundo que pasa oye menos... Mi voz le parece cada vez más lejana... Duerme profundamente... Ya no oye: uno... dos... tres...

Si la experiencia tiene éxito, la persona no sólo ya no oye, sino que su letargo se manifiesta también en la flaccidez de sus miembros. Para sacarla de este estado, el hipnoterapeuta le pone la mano sobre la cabeza, como había anunciado, y le sugiere:

— Usted me oye... Puede oirme... Se encuentra muy bien... Me oye... Me oye muy bien... Su sueño es menos profundo, pero no se despierta... Sigue durmiendo...

Método de la telepatía

1) Después de haber dormido a quien se someta a este método lo más profundamente posible, el hipnotozador debe mantener fija la mirada en un punto entre los ojos, y a la vez debe decir:

— Escúcheme atentamente... Dentro de un rato va a ser capaz de leer mis pensamientos... Dentro de un momento va a saber lo que pienso... Yo le daré una orden mental y usted me obedecerá... Será capaz de leer mi pensamiento... Leerá mi pensamiento... Ya está, usted es capaz de penetrar en mi mente...

2) Apenas dicho esto, el hipnotizador dicta mentalmente la sugestión: «Levante la mano izquierda... levante la mano izquierda... Obedezca... Levante la mano izquierda, la mano izquierda... Quiero que levante la mano izquierda...»

3) Si la persona no obedece, el hipnotizador debe, mediante cualquiera de las técnicas «clásicas», hacer más profundo su sueño, sugiriendo después:

— ...Ahora usted me obedecerá... Ya puede acceder a mi pensamiento sin dificultad... Obedezca, haga lo que le digo... Le voy a dar una orden mental y, esta vez, usted obedecerá... obedecerá enseguida... Su mente y la mía son una unidad... Está tan tranquilo que nada obstaculiza la transmisión del pensamiento... Libere su cerebro y lleve a cabo la primera idea que tenga... No piense en nada, yo pienso por usted...

4) Y efectivamente, el hipnotizador se concentra pensando intensamente: «Su mano izquierda se levanta... se levanta... se levanta... Levante la mano izquierda... levante la mano izquierda... la mano izquierda...»

5) Si aún así la persona no obedece, algo muy frecuente, el hipnotizador debe seguir afirmando:

— Cada ejercicio aumenta sus facultades de percepción... Va a aprender a captar un pensamiento igual que en su día aprendió a leer y a escribir... Su sensibilidad se va a desarrollar... Dentro de poco podrá obedecer mis órdenes mentales...

Si es posible, la experiencia se debe intentar de nuevo al día siguiente.

Método del bosque

El hipnotizador dice:

— Mantenga los ojos cerrados... Dentro de poco va a ver un bosque... Verá un bosque... un gran bosque... un bosque inmenso, con árboles frondosos... Mírelo bien... Lo tiene delante... Mire bien ese bosque que tiene delante... Por todos lados, árboles y más árboles... ¡Cuánto verdor!.. Todo es verde... Las hojas verdes... las ramas... los árboles... el bosque... Una visión que calma y relaja... Se siente a gusto, perfectamente relajado... Ahora se encuentra en el corazón del bosque... en medio del bosque... Es muy agradable... Hay árboles por todos lados... Ve esos árboles... esas hojas... ese verdor... Ve ese bosque... ese bosque inmenso...

Se sobreentiende que, al hacer estas sugestiones para que la persona «vea» el bosque, el propio hipnotizador debe ser capaz de ver imaginariamente todo lo que describe.

Método de la iglesia

A la persona dormida bajo hipnosis se le dice lo siguiente:

— Imagine que los dos salimos de esta pieza... Nos encontramos en la plaza de un pueblecito del sur... Hace muy buen tiempo... El sol brilla... Imagine bien la escena y levante la mano cuando sea capaz de ver lo que describo... Nos encontramos ante una iglesia y hace muy buen tiempo... Usted mira la iglesia... ¿La ve?... Apenas la vea, levante la mano... La iglesia está frente a nosotros... ¿Ve la iglesia?.. En sueños, ve la iglesia... La ve bien, ¿no es verdad?.. Mire bien la iglesia... Mire su campanario... Si lo divisa, levante la mano... Ahora va a empezar a repicar la campana... ¿La oye?.. Si la oye, levante la mano...

Si la experiencia tiene éxito, la persona levanta la mano tres veces: cuando ve la iglesia, cuando divisa el campanario, y cuando oye repicar la campana.

Método del rojo

1) El hipnotizador da las siguientes instrucciones a la persona, una vez que ha sido debidamente dormida mediante hipnosis:

— Mantenga los ojos cerrados... Dentro de un momento lo verá todo rojo... Al principio sólo apreciará un leve tinte rosado... Después el rosado se oscurecerá cada vez más y se convertirá en rojo... rojo, cada vez más rojo... rojo como la sangre... Ya está, empieza a ver el rosado... Ese rosado se vuelve rojo... cada vez más rojo... rojo... Todo es rojo... Lo ve todo rojo... Rojo como las amapolas... Rojo como el tomate... Rojo, rojo por todos lados... rojo como la sangre... Rojo escarlata... Todo es rojo... rojo... ¿Lo ve?

2) Si la respuesta es afirmativa, se prosigue:

— Cuando yo le diga que abra los ojos, seguirá viéndolo todo rojo... Verá que todo lo que le rodea es rojo... Y seguirá viendo el color rojo por todas partes hasta que yo remita la influencia... Verá rojo... todo rojo... Ahora todo está rojo... Rojo... Lo ve todo rojo... Abra los ojos... ¡Todo es rojo!

Si no se obtuviera un resultado positivo, habría que repetir las sugestiones.

Una variante de esta experiencia permite provocar, además de la ilusión visual, la ilusión gustativa.

El procedimiento es el siguiente:

1) Una vez que la persona está hipnotizada, el hipnotizador le pide que sostenga un vaso de agua mientras le sugiere:

— El agua que contiene este vaso se va a poner rosa... Mire bien el agua... Empieza a verla de color rosa... El agua tiene reflejos rosados... Es rosa... Y ahora ese color rosa empieza a convertirse en rojo... El agua se pone más oscura... se pone roja... cada vez más roja... Ahora el agua es completamente roja... roja escarlata... roja como la sangre... El agua es del todo roja... del todo roja... Usted ve que este agua es roja...

2) Si es necesario, se repiten las sugestiones hasta que se obtenga la ilusión visual, y entonces se prosigue:

— Ahora, este vaso ya no contiene agua, sino vino... Es vino, usted lo ve bien... Un vino rojo particularmente atrayente... Un buen vino rojo que dan ganas de probar... Es un vino delicioso, pruébelo...

3) Si la persona vacila, se deben enfatizar las sugestiones hasta que se decida a probar el vino. Después se insiste:

— Es vino... un vino delicioso... Siga saboréandolo... Cuanto más lo degusta, más exquisito lo encuentra... Un vino delicioso... un vino excelente... Pruébelo, siga probándolo...

Para aquellas personas que no beben vino se sugiere una bebida roja sin alcohol, como puede ser la granadina.

Método del azúcar

Después de haber hipnotizado a la persona, se le da un terrón de azúcar, diciéndole:

— Aquí tiene un terrón de azúcar, pero va a comprobar que es insípido... Cuando lo pruebe no apreciará ningún sabor... y menos sabor a azúcar... Es un terrón de azúcar que no es dulce, que no tiene ningún sabor... Pruébelo... No puede encontrarle ningún sabor...

Método del frío

Nos hallamos ante una de las sugestiones que pueden provocar reacciones espectaculares, ya que la persona hipnotizada acaba dando muestras de las sensaciones que experimenta como resultado de las siguientes palabras:

— Le invade una sensación de frío... Hace frío... Sopla un viento glacial... Cae la nieve... A su alrededor todo está helado... Una brisa glacial le traspasa... El frío se le mete en los huesos... Tiene frío... mucho frío... Tirita... tiembla... Hace frío... Sus pies están fríos... Sus manos están frías... Sus manos están heladas... Hace muchísimo frío...

Método de la sordera

Para que la persona hipnotizada tenga la impresión de que no oye, se emplea una fórmula muy simple:

— ...Usted oye cada vez menos... Es como si tuviera tapados los oídos... Oye cada vez menos... Sus oídos están cada vez más tapados... Sus oídos están obstruidos... Los sonidos le llegan mal, muy mal... Los ruidos son lejanos... débiles... imperceptibles... Ya casi no oye nada... Cuando termine de contar hasta tres, usted estará sordo, completamente sordo... No oirá nada en absoluto... Ya no percibe ningún sonido... ningún ruido... No volverá a oír hasta que yo ponga mi mano en su frente... Voy a empezar a contar; uno... dos... tres...

Este método, al igual que el del letargo, produce la ilusión de un silencio absoluto, una ilusión que se disipa apenas el hipnotizador pone la mano en la cabeza del sujeto hipnotizado.

Método de la risa

Para provocar la risa de una persona hipnotizada, y reirse él mismo, el hipnotizador debe evocar una imagen cómica cualquiera, como por ejemplo:

— ...Imagínese en un banquete de bodas... La recién casada luce un espléndido vestido blanco del que está muy orgullosa... Llega un camarero, con la obra de arte del pastelero, una magnífica pieza de repostería... Pasa por detrás de la novia y resbala... ¡Paf! Todo el pastel cae sobre ella... La nata montada chorrea por la cara y el hermoso vestido de la recién casada... Los invitados ríen a carcajadas... Usted no puede evitar reirse cuando ve a la novia cubierta de crema... y ríe... ríe... ríe...

Método del físico atlético

El hipnotizador afirma:

— Pronto va a hacer gala de una fuerza hercúlea... Ya está empezando a sentir su propia fuerza... Se siente lleno de fuerza... Usted es fuerte... Es muy fuerte... Está cada vez más fuerte... Yo duplico su fuerza... Con su fuerza, nada ni nadie puede atemorizarle... Ni siquiera un grupo de hombres robustos serían capaces de vencerle... Se siente en condiciones de dar su merecido a cualquiera que se atreva a atacarle... No importa la fuerza o la estatura de su adversario, usted se siente capaz de propinarle una buena paliza... No teme a nada... Se siente capaz de desafiar incluso a las montañas... Tiene una fuerza extraordinaria... Usted tiene un físico atlético...

El *método del físico atlético* no sólo crea una simple ilusión, sino que aumenta realmente la fuerza de la persona hipnotizada. Hasta tal punto esto es cierto que, bajo el efecto de la hipnosis, una joven endeble, que no practica deportes, puede vencer a un hombre sumamente robusto. Esto significa que todos los métodos descritos en la novena lección, además de ser usados para profundizar el sueño hipnótico, pueden servir también para otros objetivos. El *método de la risa,* por ejemplo, puede desempeñar un papel importante cuando se prevé la necesidad de usar anestesia, o en cualquier otra circunstancia que requiera que la persona se sienta optimista, que se libre de su ansiedad. Los *métodos de la sordera*

y del letargo pueden ser útiles para aliviar, por ejemplo, a las personas que son demasiado sensibles al ruido, mientras que el *método de la telepatía* puede ayudar a quienes tienen problemas de comunicación. En definitiva, las posibilidades de aprovechar de manera constructiva cualquiera de las sugestiones examinadas son innumerables.

LECCIÓN 10

LA REGRESIÓN HIPNÓTICA

Se produce un atraco en un banco; al día siguiente, uno de los testigos oculares es convocado a declarar en la comisaría, donde se le somete a un sueño hipnótico a través de las siguientes sugestiones:

— ...Y ahora, usted nos va a proporcionar una descripción exacta y minuciosa de todo lo que ocurrió... Haga memoria... acuérdese bien... Usted está en el vestíbulo del banco haciendo cola delante de una de las ventanillas... Entran los atracadores... Como el resto de los clientes, usted obedece inmediatamente sus órdenes... Se tira al suelo... No se atreve a moverse, pero observa disimuladamente, por el rabillo del ojo... Ve perfectamente al atracador que mantiene inmovilizado al guardia... También ve al otro, al que se apodera del dinero de la caja... Descríbalos... Los tiene delante, descríbalos...

Y el hombre, que hasta entonces sólo había podido dar explicaciones vagas e inconexas, empieza de repente a recordar detalles de la vestimenta, la fisonomía y los gestos de los malhechores, contribuyendo así muy positivamente a la investigación policial.

Siguiendo el ejemplo americano, la policía de varios países recurre hoy en día a hipnotizadores profesionales para facilitar la tarea de los investigadores, ya sea en casos de robo a mano armada o de asesinatos. El método empleado en estas ocasiones es el que se denomina habitualmente como «regresión hipnótica». Sus variantes son muchas, pero el principio es el mismo: se trata de intentar delimitar un punto en el pasado y centrar la memoria en él, con la intención de que la persona pueda evocar ese momento y revivir así todo lo que entonces sintió y vio.

Método del reloj

Se le dice a la persona, que previamente ha sido hipnotizada mediante cualquiera de las técnicas habituales, lo siguiente:

— Usted duerme, duerme... En su mente aparece un reloj... Usted ve las agujas del reloj... Está viéndolas y, cosa curiosa, las ve girar en sentido opuesto, a gran velocidad... El reloj vuelve atrás en el tiempo... Usted también va a volver atrás en el tiempo... Va a ser más joven... Va a revivir el pasado... Ya no es el mismo, es más joven, cada vez más joven...

El hipnotizador conduce así la memoria de la persona hasta la escena deseada, mientras le transmite sugestiones que le infunden seguridad, como por ejemplo: «Seguramente va a recordar tal o cual momento de su pasado» o «Con toda seguridad recordará esto o aquello».

Método del libro

En este caso, la persona hipnotizada recibe la siguiente sugestión:

— Compare su vida con un libro... Imagine que cada día de su vida corresponde a una página de este libro voluminoso que vamos a hojear juntos... La primera página se refiere al día de su nacimiento. La última página escrita describe el día de ayer; el resto de las páginas están en blanco... Examinemos, precisamente, la página dedicada al día de ayer... No hay ningún problema, usted se acuerda muy bien de todo lo que hizo ayer... Recapitule mentalmente todo lo que hizo ayer, tanto durante el día como por la noche... Y ahora, abramos el libro de su vida en la página que describe su boda (puede escogerse cualquier otro acontecimiento, la primera cita amorosa, un gran viaje, el comienzo de su carrera, etc.)... Reconstruya en su memoria ese día... Acuérdese de cada detalle... Y ahora, leamos el libro en sentido contrario, para ir todavía más lejos, hasta la época en que usted tenía treinta y cuatro años (treinta, veinte, quince, diez, etc)... Detengámonos en la página que describe el día en que usted hizo esto o aquello (señalar el acontecimiento cuya evocación se desea)... Se encuentra a sí mismo bien... Vuelve a ver cada momento de ese día... Rememore en detalle cada momento de ese día...

Método de la película

Similar al precedente, este método emplea la siguiente sugestión:

— Usted duerme, duerme profundamente... Está en una sala cinematográfica viendo una película... Esa película cuenta su vida... Cuenta todo lo que le ha pasado hasta ahora... En este preciso instante, aparecen en la pantalla las imágenes de lo que hizo ayer... Vuelve a ver en la pantalla todo lo que sucedió ayer... Ve en detalle todo lo que hizo ayer... De la misma manera que puede ver todo lo sucedido ayer, también puede ver, gracias a esta película, lo que ocurrió cualquier otro día de su vida... De repente, la película empieza a pasar en sentido contrario, y usted se ve en la oficina (la casa, etc.) anteayer... Se ve a sí mismo y ve todo lo que hizo anteayer... La película sigue pasando en sentido contrario, cada vez más rápido... Las imágenes de días, semanas, meses y años desfilan a gran velocidad... Esta película le hace volver al pasado... Vuelve al pasado... cada vez más lejos... Ahora se está viendo en la época de su boda (servicio militar, maternidad, etc)... Ve bien a la gente que le rodea, ve cómo están vestidos, oye lo que dicen... Y llegamos al día que queremos recordar... Usted duerme profundamente y vuelve a ver todo lo que sucedió ese día en que...

En este punto, el hipnotizador guía la memoria de la persona hipnotizada hacia la evocación minuciosa de los hechos que se quiere reconstruir.

Método del Dr. Chertok

Una de las eminencias de la hipnosis médica contemporánea, el Dr. Chertok, aconseja efectuar el regreso al pasado de la persona de la siguiente manera:

— ...Ahora concéntrese bien en lo que voy a decirle... Le voy a sugerir que retroceda en el tiempo, que vuelva al pasado... Tendrá la impresión de haber retrocedido a la fecha que yo le sugiera... Comencemos por ayer... ¿Qué hizo usted ayer por la mañana?... ¿Qué desayunó?... Ahora, volvamos al primer día en que vino... ¿Puede verse a sí mismo mientras me está hablando? ¿Qué siente? Descríbalo... ¿Qué ropa llevaba?.. Ahora escuche bien. Volveremos a la época en que usted era pequeño... Usted se hace pequeño... Sus brazos y sus piernas disminuyen... Yo soy alguien que usted conoce y a quien ama. Usted tiene entre diez y doce años. ¿Puede verse?.. Describa lo que ve... Y ahora es todavía más pequeño. Sus brazos y sus piernas siguen disminuyendo. Su cuerpo disminuye de tamaño. Retrocede a una época en que era muy, muy pequeño... Ahora, usted es un niño pequeño... Ha vuelto al momento en que va a la escuela por primera vez... ¿Puede verse?... ¿Quién es su maestro?... ¿Qué edad tiene usted?.. ¿Cómo se llaman sus amigos?.. Ahora usted es todavía más pequeño... Usted es mucho, mucho más pequeño... Su madre le tiene en brazos... ¿Se ve con su madre?... ¿Cómo va vestida?... ¿Qué dice?

Sin ningún género de duda, la hipnosis permite una activación prodigiosa de la memoria. Es muy normal que, a través de ella, hasta las personas de edad relativamente avanzada puedan recordar exactamente cualquier momento preciso de su vida, incluyendo el período de su primera infancia.

Y no faltan los hipnotizadores que se enorgullecen de haber podido obtener testimonios sobre impresiones experimentadas por hombres o mujeres durante su estado fetal.

Otro tema es el que se refiere a las experiencias que tienen por objeto la evocación de las «VIDAS ANTERIORES». Esta es una cuestión delicada. Debemos seguir criterios imparciales y respetar aquellas opiniones, que se presentan como científicas, que niegan no sólo la reencarnación, sino también la probabilidad de que exista una esencia indestructible para cada uno de nosotros, una esencia que, después de haber habitado en otros cuerpos y en otros siglos, se aloja provisionalmente en el nuestro, en espera de pasar a otros cuerpos en un futuro. Del mismo modo, habría que examinar los numerosos artículos, los libros, los programas de radio y televisión, las conferencias, que se refieren a sesiones durante las cuales algunas personas hipnotizadas recuerdan detalladamente los capítulos más importantes de una existencia vivida en tiempos tan lejanos como la época de los faraones, la Edad Media, la Revolución Francesa, etc. En lo que se refiere a períodos relativamente recientes, a veces las investigaciones han logrado reunir elementos que permitirían confirmar la autenticidad de esos relatos, aunque desde un punto de vista estrictamente científico se puede hablar tajantemente de meras coincidencias. De cualquier forma, es interesante señalar que una de las nuevas religiones que más adeptos ha ganado en los últimos años, la Cienciología, debe en gran parte su popularidad a que enseña un método, derivado de la hipnosis, que en principio es susceptible de revelar todos y cada uno de los «secretos» de las vidas anteriores.

LECCIÓN 11

EL DESPERTAR Y OTRAS INDICACIONES ÚTILES

Tan importante es para un buen hipnotizador tener un dominio absoluto de las técnicas de la hipnosis como conocer a la perfección la fase en que se da término al sueño hipnótico.

El despertar

Aunque existen medios que permiten un despertar inmediato, lo ideal y más prudente es proceder progresivamente, empleando, por ejemplo, la siguiente fórmula:

— ...Ahora va a pensar en despertarse... Cuando yo diga «tres» se sentirá en perfectas condiciones, totalmente despierto... En cuanto oiga la palabra «tres», se sentirá completamente despejado, en un estado inmejorable... Cuento: uno... se va a despertar... Cuando diga «tres» usted se sentirá muy bien, lleno de vigor... Dos... comienza a despertarse... Tres... ya está despierto, puede abrir los ojos.

Oposición a la hipnosis

No resulta ocioso repetirlo una vez más: es imposible hipnotizar a alguien si no se cuenta con su consentimiento. Esto quiere decir que, cuando una persona se resiste a la hipnosis, hasta el más dotado de los hipnotizadores debe darse por vencido.

Pero también en el campo de la hipnosis se dan excepciones raras: en condiciones experimentales excepcionales, se podría hipnotizar sin su consentimiento a una persona particularmente impresionable y, sobre todo, carente de fuerza de voluntad, empleando para ello cualquiera de las técnicas de la *hipnosis médica.*

Sin embargo, también existe un medio para evitar ser hipnotizado contra su voluntad: la autosugestión. Basta con que se diga mentalmente, una y otra vez, que considera la hipnosis algo ridículo y sin sentido. Repítase a sí mismo fórmulas como las siguientes: «No quiero que me hipnoticen y por eso no van a poder hipnotizarme», o «Todo esto me parece cada vez más ridículo», «Lo que me está diciendo no tiene sentido, no me voy a dejar hipnotizar».

Detector de mentiras

Todo lo expuesto anteriormente permite concluir que es absurdo pretender utilizar la hipnosis como detector de mentiras. ¿Cómo se puede concebir que alguien que no quiere ser hipnotizado acabe hablando de algo que no deseaba decir o que pretendía ocultar bajo una mentira?

Sin embargo, se puede emplear la hipnosis como un «suero de la verdad». Para ello hay que recurrir a la astucia; el objetivo es conseguir que la persona ignore que mediante la sesión hipnótica se le arrancará una confesión. Con esta condición, es decir, si la persona se deja hipnotizar de buen grado, no resulta muy difícil, llegado el momento, desviar las sugestiones hacia el tema que se desea aclarar, o lograr que la persona hipnotizada hable, haciendo intervenir un medio de control.

Las bases de ese medio fueron elaboradas por el eminente hipnoterapeuta Dave Ellman. Consiste en emplear una sugesción destinada a provocar una reacción involuntaria o mecánica. Se sugiere, por ejemplo:

— ...Usted no va a mentir, va a decir la verdad... Va a decir la verdad porque, si miente, su dedo meñique se va a levantar... Y le será imposible evitarlo: si miente, su meñique se levantará... No podrá contraerlo, será más fuerte que usted; si miente, de inmediato su dedo meñique se levantará...

Después de esta breve incursión en la hipnosis y sus técnicas, sólo nos resta hacer alusión a ciertos consejos que pueden contribuir en mayor o menor medida al éxito de una experiencia hipnótica:

— para que la persona que se va a hipnotizar no se sienta incómoda, procure que su aliento sea fresco y agradable;
— haga desaparecer de la habitación cualquier objeto brillante, con el fin de que la persona no se distraiga;
— el aire de la habitación debe ser fresco y agradable; si es necesario, utilice un ambientador;
— evite hipnotizar a personas que acaban de hacer una comida copiosa, que hayan bebido alcohol, o que concurren inmediatamente después de haber permanecido en un ambiente excesivamente ruidoso;
— antes de hacer pasar a la persona a la habitación donde se llevará a cabo la sesión, hágala esperar por lo menos cinco minutos;
— pídale a la persona que se despoje de las joyas u otros objetos de metal;
— tome todas las precauciones necesarias para no ser molestado ni por llamadas telefónicas ni por ningún otro motivo, y mantenga cerrada la puerta de la habitación.

Esta última es la más importante de las recomendaciones, pues la calma y el silencio se cuentan entre las principales armas del hipnotizador: le ayudan a concentrarse y, al mismo tiempo, evitan el riesgo de que la persona desvíe la atención que presta a sus palabras o sus gestos.

PARA SABER MÁS

Probablemente la lectura de este manual práctico le animará a profundizar sus conocimientos en el campo de la hipnosis. En cualquier librería encontrará obras especializadas consagradas a este tema, y podrá escoger aquéllas que mejor colmen sus expectativas.

No obstante, señalamos que la aparición de «*La hipnosis práctica en 11 lecciones*» coincide con la publicación de otros dos libros del mismo autor y la misma editorial, destinados a que los lectores se familiaricen con las diversas facetas de la hipnosis. Esos dos libros son: «*Hipnosis curativa*» y «*Métodos de autohipnosis*».